la cérémonie
contes

Éditeurs:
LES ÉDITIONS LA PRESSE, LTÉE
7, rue Saint-Jacques
Montréal H2Y 1K9

Maquette de la couverture:
JEAN PROVENCHER

Tous droits réservés:
LES ÉDITIONS LA PRESSE, LTÉE
©Copyright, Ottawa, 1978

©Copyright, Ottawa, 1978, Marie José Thériault
pour *Quatre sacrilèges en forme de tableaux*

Dépôt légal:
BIBLIOTHÈQUE NATIONALE DU QUÉBEC

4e trimestre 1978
ISBN 0-7777-0210-X

marie josé thériault
la cérémonie
contes

la presse

A eux,
et aux autres…

Première partie

LA CÉRÉMONIE

« …toutes les fois que l'un de ces oiseaux peut se saisir des œufs de l'autre il les casse. »

De la nature des dieux-II

La cérémonie

D'abord, elle lui trancha la tête. D'un grand coup sec et précis de la lame, tandis que de sa main gauche elle maintenait en place le petit corps tout chaud et palpitant.

La tête roula sur le sol. Elle n'y prêta guère attention, car la recette disait qu'outre la tête il fallait:

○ le cœur

○ la moelle du pied gauche d'un loup

○ trois grains de coriandre

○ un soupçon de myrrhe

○ sept gouttes d'huile de millepertuis

(Après seulement, quand tout aura été broyé, puis calciné dans un creuset, viendront les oraisons secrètes qu'entendra seule la Mère-aux-Multiples-Noms.)

Mais, déjà, la tête avait repoussé.

Elle vit, ahurie, une bête entière immobile sous ses doigts. Elle n'hésita pourtant qu'une seconde et, soulevant d'une main ferme le couperet d'acier, elle le rabattit avec violence sur l'animal dont le chef, séparé du tronc, vola dans la pièce.

Elle en suivit la trajectoire du coin de l'œil, mais aussitôt que son regard se fut à nouveau concentré sur sa victime, elle constata, non sans un dégoût mêlé d'impatience, que la tête était toujours là.

Comme par défi, elle décapita la bête une autre fois. Et une autre. Et encore une autre.

Pendant ce temps, la bougie à sept globes superposés se consumait. Il faudrait bientôt remettre à une prochaine nuit propice le rituel séculaire, faute de suif. Mais elle ne le sut pas.

Livide maintenant, elle continuait à un rythme toujours accéléré à soulever et abaisser la lame écarlate sur le cou de son adversaire. Chaque tête, en tombant, allait rejoindre les autres qui formaient sur le sol une masse grouillante d'où émanaient, par moments, de piteux petits couics.

— Il me faut le cœur... haletait-elle. Le cœur... Tuer la bête d'abord... Pour le cœur...

Dans son délire croissant, elle devinait peu à peu que l'objet de sa convoitise l'avait précédée, en accomplissant lui-même certains rites dont elle ne pouvait connaître l'antidote.

A moitié folle, elle ne remarquait plus la marée de têtes qui s'élevait maintenant à hauteur des genoux. Elle hachait encore sa victime comme on aurait coupé un bouquet de persil.

La tête, tenace, repoussait toujours.

Quand il lui fallut déployer toute sa force pour

dégager son bras des milliers de têtes qui l'enserraient afin de le rabattre une fois de plus sur l'animal, la démence avait eu raison d'elle.

Cependant, l'être dont elle avait voulu par d'étranges pratiques jouir des faveurs persistait, contre toute attente, à lui dépêcher ses émissaires: car ne séduit pas qui veut le prince Belzébuth sans éveiller son ire.

Et la Mère-aux-Multiples-Noms n'y peut rien.

Inès de Tharsis

Je suis la femme du boucher de Tharsis. Mon nom est Inès. Je suis belle.

A me voir, nul ne pourrait deviner que j'ai plus de trois mille ans. Ma peau lisse et fraîche reste toujours blanche, car je fuis le soleil et ne sors jamais que la nuit. Mes jambes longues, déliées, m'aident à courir très vite et, grâce à mon peu de poids, les empreintes de mes pas s'effacent dès la première brise.

Mon mari aime mes yeux de biche. Mais il dit cela pour jouer au poète: il ignore tout de la vérité.

Quant à mes cheveux sombres, je les laisse couler sur mes épaules comme une longue fourrure. Sous la lune, ils ont des reflets argentés. Je les peigne souvent avec mes doigts interminables aux ongles tranchants dont la forme bien calculée laisse de splendides griffures rouges sur les cuisses de mon mari quand nous faisons l'amour.

Je suis venue ici il y a peu de temps, mais j'avais beaucoup voyagé avant et connu plusieurs hommes.

J'ai quelques enfants. Il m'arrive d'aller les retrouver lorsque mon mari dort.

Au début, mon mari s'étonnait de mon dégoût du jour. Il insistait souvent pour que je sorte. Je prétextais l'accablante chaleur, la lumière trop crue qui fatiguait mes yeux, mon teint, que je voulais conserver pâle. Bientôt, il se fit à mes caprices et me laissa agir comme je l'entendais. Je crois qu'il est heureux malgré mes bizarreries, car aucune femme avant moi ne l'a aimé et caressé comme je sais le faire.

Il est vrai que quelque chose en lui me déchaîne. Mon odorat très développé décèle toujours sur sa peau un vague parfum de sang qui me porte à des ardeurs de fauve.

C'est après, quand il ronfle, que je me lève et me glisse hors de la maison. Je longe les murs ocre au-delà desquels tout le village repose, et bientôt les rues tortueuses se perdent derrière moi. Puis, je vole presque vers la forêt voisine où mes enfants sont rassemblés, et lorsque finalement je les rejoins, je peux me métamorphoser en paix sans crainte d'être aperçue.

Je reste longtemps assise sur mes pattes de derrière à reprendre mon souffle et à écouter, les yeux vifs et les oreilles dressées, les bavardages de mes fils. Puis, je m'allonge auprès d'eux et ils viennent loger leur museau tendre dans la fourrure de mon ventre.

Bien plus tard dans la nuit, lorsque mes fils repus de lait s'endorment les uns contre les autres, le grand loup gris jusque-là resté à l'écart s'approche de moi et nous jouons ensemble à d'étranges jeux d'adultes.

Toujours, quand je retrouve mon mari après ces visites nocturnes, mon désir de lui est immense et sauvage. Je sais qu'une nuit je ne résisterai pas. Je me loverai entre ses jambes où mes caresses, de douces, se feront peu à peu plus acérées... Dans ma passion incontrôlable, je dévorerai son corps, je le déchirerai avec mes dents, je le lacérerai avec mes griffes...

On le découvrira au matin, en lambeaux, comme on a découvert tous les autres.

Mais moi, on ne me trouvera jamais.

Je serai devenue la femme du boucher d'Avilès. Je m'appellerai Martha. Je serai belle...

La dernière nuit
d'Eléonora Tobbs

La chambre baignait dans une lumière diffuse qui semblait ne provenir de nulle part et enroulait autour des meubles et des objets hétéroclites une brume rosée et stable, différente de l'éclat mordoré et vivant produit par le feu de la cheminée depuis longtemps, d'ailleurs, éteint. Seuls un ou deux tisons s'affairaient encore à rendre l'âme au fond de l'âtre, devant un contrecœur de fonte aux armoiries rendues invisibles par la suie. Le manteau, une poutre mal équarrie noircie elle aussi en son centre, supportait une infinie variété de vases, bougeoirs, cadres, bibelots disposés là avec plus de volonté que d'art, comme si le peu d'espace eût énoncé des lois plus strictes que l'harmonie ou l'équilibre. Un miroir ovale penchait sa face ternie au-dessus du capharnaüm et reflétait tant bien que mal le tapis usé étalé devant la cheminée de pierre, sur les couleurs affadies duquel on avait placé une bergère de velours bordeaux et un guéridon Louis XVI. Non loin, contre le mur recouvert d'un papier peint où grimpaient en torsades de petites fleurs roses sur fond gris souris, s'appuyait un lit massif en forme d'armoire dont les battants

17

ouverts dévoilaient le drap de lin brodé en festons, impeccable, presque croustillant, et rabattu avec soin sur une couverture de lainage grège. A l'opposé, une commode arborait fièrement elle aussi sa population de boîtes, petits plats, bouteilles et flacons de toutes formes et de toutes dimensions qui dissimulaient à moitié un étroit tableau accroché de guingois, représentant une goélette dont les voiles auriques bleu de Prusse bombaient sous le vent. Un secrétaire d'époque renfermant quelque correspondance secrète sous le panneau fermé à clef occupait le petit espace en angle entre la porte et la fenêtre devant laquelle, la tête appuyée contre le dossier du fauteuil où elle avait coutume de s'asseoir, Eléonora dormait.

Sa bouche à moitié ouverte émettait à intervalles un son rauque venu du fond de la gorge, qu'accompagnaient le soulèvement et l'affaissement réguliers de sa poitrine déclive, alourdie encore de médailles nombreuses retenues par une chaîne d'or à maillons plats suspendue à son cou. De temps en temps, son souffle déplaçait une mèche grise qui, en se détachant du chignon où elle était prisonnière, avait glissé sur son front. Dans le visage plâtreux qu'un réseau de rides ténues envahissait et où la bouche exsangue n'apportait aucune nuance de rose apparaissait parfois, à la faveur d'une aspiration plus profonde, une rangée de dents ternes d'inégale longueur.

Ses mains, dont l'une était appuyée de la paume sur ses genoux, et l'autre du revers sur l'un des accotoirs, ne tenaient plus l'ouvrage de broderie fine qui les avait occupées. Celui-ci formait maintenant une masse floue, maintenue dans le vide à côté d'Eléonora par un fil de couleur coincé sous sa main renversée et, par moments, imperceptiblement agitée d'un tic.

Eléonora Tobbs dormait dans un silence ouaté

qu'interrompait seule la raucité de sa respiration quand elle fut réveillée par un bruit singulier que, tirée brusquement de son sommeil, elle ne put définir.

Ramenant sur ses épaules le châle qui en était tombé, elle fit glisser par terre le mouchoir jusque-là retenu en équilibre par sa main, puis elle se leva avec difficulté en maudissant son âge et elle se dirigea vers la fenêtre.

« Un chat-huant, sans doute », se dit-elle, en appuyant le front contre le carreau pour tenter d'en percer l'obscurité. Mais elle ne vit pas même les platanes du parc dont le feuillage épais, en été, ombrageait sa chambre. Reculant d'un pas, elle ne put qu'apercevoir son propre reflet dans la vitre et ressentit une espèce d'angoisse à se voir ainsi, menue, rabougrie et courbée sous la mainmise de la vieillesse.

Elle tira les rideaux d'un geste bref et, marmonnant entre ses dents ce qui aurait pu être à la fois une prière et une imprécation, elle fit quelques pas mal assurés en direction de la cheminée dans le but d'y réveiller les braises, mais elle fut arrêtée dans son mouvement par un second bruit semblable au premier. Cette fois, elle distingua plus qu'un hululement, quelque chose de long et faible qui ressemblait davantage à une plainte. Elle resserra machinalement le châle sur sa poitrine en faisant du même coup tinter les médailles qui y pesaient. Son corps était secoué d'un frisson qu'elle s'efforça d'attribuer à l'humidité froide de la chambre, et elle alla résolument ranimer le feu.

Eléonora avait déjà disposé les bûches bien sèches au-dessus des brindilles et frotté une allumette dont elle faisait s'élargir la flamme en l'inclinant quand, retenant son souffle, elle rejeta dans l'âtre la suédoise qui allait lui brûler les doigts, puis saisissant à pleines mains l'amas de médailles lui battant le buste, elle le porta brusquement à son front, à son cœur, aux épaules: n'était-ce pas *son nom*, Eléonora, qu'on prononçait là, avec une voix inhumaine comme issue de l'abîme et montée, par Dieu sait quelle malédiction, d'entre les morts...? Elle se redressa avec peine. Tenant toujours serrées les amulettes au bout de leur chaîne, elle tentait de respirer normalement, mais sa gorge refusait de se détendre. Le cœur lui martelait les tempes jusqu'à l'aveugler, tandis qu'elle cherchait à prononcer tout haut quelque parole rassurante et ne réussissait qu'à agiter ses lèvres d'un tremblement continu dévoilant des dents imparfaites à l'ivoire éteint.

La voix répétait maintenant son nom comme une litanie. D'abord doucereuse, timidement influente, elle se fit rapidement plus insistante et il n'y eut bïentôt plus de doute dans l'esprit d'Eléonora: *la voix réclamait son aide, désirait qu'elle la suivît.*

Geignarde au début, elle était devenue avec chaque appel un peu plus ferme, presque impérieuse. Détachant distinctement les syllabes les unes des autres, la voix venait s'infiltrer dans les veines de la femme pour y glacer le sang. Quelques secondes plus tard, poussée par une force inexplicable, Eléonora tituba jusqu'à la cheminée et s'agrippa au manteau de bois sombre.

Sa main libre cherchait quelque chose dans l'entassement d'objets divers et, dans sa quête désordonnée, elle fit basculer plusieurs d'entre eux qui se brisèrent au contact des dalles, sur le sol. N'y prenant garde, Eléonora repoussa une semaine de ·pipes pouşsiéreuses dans leur support et trouva, derrière, un petit étui contenant dans son côté droit, sous un cadre de cuivre ovale, la photographie jaunie d'un homme élégamment vêtu dont la corpulence suggérait qu'il avait dû être doué d'un appétit gargantuesque. La barbe bien taillée et la moustache superbement retroussée en croc entouraient les lèvres minces, sans sourire, tandis qu'au-dessus du nez bourbonien dont les vibrisses se perdaient dans la pilosité du visage, des yeux sévères jetaient leurs feux sous des sourcils touffus et indistinctement arqués.

Eléonora s'empara de l'étui qu'elle serra contre elle et avança jusqu'au lit où elle se heurta à l'un des battants. Soudain, elle exhala un gémissement interminable à peine perceptible, semblable à celui qu'émettrait dans son agonie un animal blessé qui entrevoit sa mort: *la porte de la chambre venait de s'ouvrir d'elle-même...*

La terreur qui, plus tôt, avait pris possession d'Eléonora se transforma en un calme surréel. Quelque chose lui redonnait de l'assurance sans qu'elle pût deviner quoi, mais la voix lui semblait maintenant apaisante et douce comme elle lui parvenait d'au-delà cette porte ouverte sur un corridor lambrissé et obscur où elle s'engagea sans la moindre hésitation avec, dans le regard, une expression d'indéfinissable quiétude. Elle atteignit très tôt le large escalier d'acajou dont les marches se creusaient du côté de la rampe aux balustres en forme de poires charnues.

Les signes d'une mystérieuse présence se répétaient. Du haut de l'escalier, Eléonora sentit plus qu'elle ne vit tourner la poignée de bronze de la porte d'entrée et graviter l'huis massif autour de ses gonds de fer. Elle descendit à pas lents les marches inégales sans prendre appui sur la rampe, traversa le hall glacial à la voûte duquel un lustre de Hollande balançait sans un grincement ses branches largement re-courbées, puis elle franchit le seuil et pénétra dans une nuit maintenant étonnamment blanche, lactée, enduite d'un brouillard vaporeux qui masquait pres-que à sa vue la photographie jaunie qu'avec des doigts crispés elle pressait toujours contre elle dans les plis de sa berthe.

Toute volonté abolie, Eléonora obéissait. Elle ne s'arrêta pas quand, dans un écho sourd, la porte se fut refermée derrière elle. Elle ne tressaillit pas dà-vantage quand quelque chose lui frôla le visage. Elle avançait machinalement, dans un état voisin de l'hypnose, au sein d'un univers étrange peuplé de voix de plus en plus nombreuses surgissant de nulle part, de formes imparfaites, torturées, crevant çà et là le voile brumeux comme des statues qui subitement prendraient vie sur leur socle. De l'une d'entre elles, goule suspendue à un squelette d'arbre dont l'écorce moussue suppurait et présentait par endroits des clo-ques verdâtres, émana un rauquement lugubre qui lui parut éternel. Mais Eléonora avançait toujours, impassible, guidée par une puissance inapaisable et lointaine.

Puis il y eut un bruissement au-dessus de sa tête. Un griffon aux ailes déployées picorait de son bec acéré le chignon de la vieille et en extirpait les épingles sinueuses qu'il laissait ensuite tomber en glatissant. Quand les cheveux furent libres et épars sur la nuque et les tempes d'Eléonora, il enfonça ses griffes dans la chair de l'épaule et, voletant tou-jours, il arracha des mèches grises dont certaines vinrent s'agglutiner sur le sang qui traversait déjà la dentelle du corsage. Parfois, sous la traction, Eléo-nora secouait la tête, et le bec de la bête lui éraflait la joue. Mais elle avançait sans arrêt, poussant des gémissements confus et faibles, vers cette chose, devant, qui ne cessait de l'entraîner.

Le puits lui barra la route. Du fond, la voix montait. Les pierres blanches se confondaient à la vapeur laiteuse du brouillard, mais Eléonora distingua nettement la main fixe de métal rouillé qui avait naguère retenu le seau. Elle fit encore un pas et le gravier émit son dernier crissement. Résolument, elle se hissa sur la margelle. L'étui, que retenait toujours l'une de ses mains, se déchira à l'angle sous la rugosité des pierres. Dans un effort, elle saisit l'anneau de fer avec sa main libre et fit pivoter ses jambes gainées de beige au-dessus de l'abîme d'où montait, par bouffées, une odeur de putréfaction. Le griffon saisit une dernière becquée de cheveux et, relâchant son emprise, disparut dans un vol saccadé.

Eléonora, dont le visage sanguinolent avait conservé la même expression d'hébétude, se laissa brusquement tomber dans le vide. Son corps heurta les parois maçonnées couvertes de moisissure, se déchira aux aspérités du cylindre profond, pour finalement s'écraser contre le sol boueux qui n'avait jamais retenu l'eau.

Le crâne presque chauve était à demi enfoncé dans la vase. Les membres brisés dessinaient des angles divers. Mais la main d'Eléonora s'agrippait encore à l'étui qui recelait, sous un cadre de cuivre ovale, le visage d'un homme élégamment vêtu dont le rire résonna longtemps dans la nuit redevenue obscure.

Sirix

Il me regarde depuis une heure au moins. Sans tarir. Comme un qui s'inventerait des fables.

Je le détaille aussi, car il est beau. J'aime sa chevelure embroussaillée, sombre et rebelle, les plis profonds de soleil à l'angle des yeux, et ces lèvres presque minces qui semblent esquisser toujours un demi-sourire. Sur ses mains courent de splendides veines comme des rivières torturées. Entre ses doigts, il tient parfois une cigarette de tabac noir.

Je le désire déjà beaucoup, mais il ne faut pas qu'il le sache. Pas lui. Pour tous les autres avant, je n'ai pas eu de scrupules. Mais lui, il a quelque chose de la bonne bête. Je ne veux pas lui faire de mal. C'est si difficile, si difficile... Je veux le regarder, c'est tout. Le regarder me regarder.

Pourtant, bientôt il faudra que je parte. Je ne peux plus attendre qu'il s'en aille. Le soleil baisse. Dans un quart d'heure, il sera trop tard.

Quand j'ai tourné la tête et vu qu'il me suivait, j'ai fait non, pour qu'il comprenne. Mais il n'a pas rebroussé chemin. Je ne peux plus rien maintenant pour le sauver.

La tour se profile déjà contre le ciel orange. Quelques minutes suffisent pour atteindre les ruines. A cette heure de fin de jour, des centaines de chats viennent y chasser et j'entends, derrière moi, les pas de l'homme se mêler aux appels des bêtes.

Quand il me rejoint, je suis déjà nue. Alors, il ne dit rien mais me couche avec douceur dans la ciguë. Je sens tout son poids d'homme contre mon corps.

Bientôt, mes bras s'ouvrent et s'élargissent. Je l'enveloppe de mes grandes ailes grises. Il ne se doute de rien, car j'ai pour lui des caresses délicieuses.

Il a un cou admirable. Et cette veine, juste là, qui apparaît sous sa chaîne d'or, me donne soif, une soif insatiable. Et je bois... je bois... je bois...

Le Joachim d'Elsa

L'été persiste. Un été torride, compact, irritant, sans égard pour les bêtes et pour l'homme. D'eau, il n'y en a pas qui soit bonne à boire, faute de pluie, et la plupart des puits n'offrent qu'un fond avare jonché d'herbes cassantes et d'oiseaux morts. On passe à gué tout ce qui a nom rivière ou torrent, tandis que le fleuve nu qui chantourne le pays n'admet plus en son lit qu'un filet d'eau boueuse serpentant comme un criss.

Collées entre elles, des maisons ocre, sans ornement, gravitent autour de la place déserte. Des fêlures du sol, jaillissent par endroits quelques pousses maigrichonnes. Volets mi-clos contre le grand soleil. Au-delà, les pièces grises où la fraîcheur tient bon depuis le temps qu'on l'entrepose. De ce point d'observation, il suffit de rester aux aguets: tôt ou tard, l'événement se produit qui vaut bien qu'on médise à la tombée du jour.

Au dehors, les ombres se profilent graphiquement sur la lumière crue; nulle part ce dégradé prudent depuis le clair jusqu'à l'obscur.

Moments de paroles lentes, de gestes comptés. D'angoisse aussi; par le dedans.

Pourtant, le pays compte sa bonne part d'hommes à forte carrure, prompts à donner comme à prendre.

Le mal ne vient pas d'eux. Il rôde de cuisine en cuisine, nourri par des femmes sans angles, tout en rondeurs d'âge, mais rêches, formées aux joies brèves et érigées en forteresses devant leurs châlits.

D'elles, le mal. Et rien que d'elles.

Comme ce surnom de Goule qui m'est resté depuis le jour où le Joachim d'Elsa fut aperçu au plus fort de la sieste, entrant chez moi comme à l'église avec une bien grande fierté au corps.

Comme cet autre mal d'après. Beaucoup plus grand.

Une poudre sableuse recouvrait toute chose, s'insinuait dans les narines, dans la gorge, envahissait, possédait. Le soleil impitoyable fendillait et tannait peaux et plantes, tarissait sans trève, sans remords. En ces jours-là, on en vient à souhaiter que novembre arrive avec ses bourrasques humides d'outre les monts. Mais en ce pays du diable, le répit dure peu et les yeux se plissent même aux jours sombres, par habitude.

Ceux du Joachim aussi quand il hésite un peu dans l'embrasure de la porte contre un fond de pollen blanc qui s'allume et s'éteint.

— Holà! ne reste pas là planté debout. Tu fais entrer le chaud.

Il se mordille la lèvre inférieure avant de sourire un sourire dont l'infini vous tient le ventre, puis il enlève le chapeau qui lui mangeait la naissance du front pour le tordre et le détordre entre ses mains baies.

— Elle dort. Avec la bouche qui s'entrouvrait chaque fois qu'elle respirait. J'ai attendu un peu, dans la cuisine. Et je suis venu.

Il faut le voir, ce Joachim. Homme à vous couper le souffle. Il suffit de le croiser quand il ramène ses bœufs couleur de lait, avec leurs cornes plus larges que des bras ouverts, et des yeux ronds et luisants comme des châtaignes. Et lui, costaud, gaillard, roulant de la bonne force dans ses épaules, qui enhardit les bêtes avec des mots.

La porte en se fermant gémit de ses paumelles. L'été est resté dehors mais Joachim en retient tout l'éclat et une lumière profuse lui jaillit de l'œil.

Il a fini de tordre son chapeau qu'il dépose sur la chaise. Il a déjà tendu les bras. C'est pour cela qu'il est venu.

La première fois, Joachim avait eu les gestes violents, sans étoffe. Rien qui menât le corps à s'éployer. Mais tout s'apprend, et maintenant il palpe et retourne cette chair de femme entre ses doigts comme de l'argile neuve, comme un qui a la connaissance de la terre qu'on meut.

Ma robe roule sur le sol. Je sors d'elle comme d'une mauvaise peau. Un frisson me saisit et c'est, venant de Joachim, un parfum d'herbes et de grande nature dont il me vêt.

Le lit semble creusé parmi les feuilles, contre la terre. Joachim dit les choses qu'il faut à sa manière qui est aussi la mienne; il fait chanter mon corps mieux qu'une lyre et voler des esquilles d'âme dans toutes les directions. Des rais de jour filtrent des volets. Quand Joachim gémit, je ne vois pas les longues coulées de lumière sur son front, mais je sais qu'elles sont là.

C'est ce moment précis que choisit Elsa pour faire son entrée.

Le coup retentit comme une bombe dans l'air sec. Lorsque s'écroula sur moi le corps sans vie du Joachim, en cherchant le mépris et la haine dans les yeux d'Elsa posés sur les miens, j'y trouvai une étrange flamme...

Je ne suis pas femme à me formaliser quand il s'agit de sauver ma peau. Le lendemain, nous avons, Elsa et moi, enseveli le Joachim ensemble.

Les cyclopes
du jardin public

La journée se déroulait à reculons avec une inquiétante lenteur.

D'abord, il n'avait rien remarqué. Il croyait que c'était là une nuit normale, fluide et si limpide qu'on pouvait s'y mouvoir librement sans jamais tâtonner le long des murs pour trouver sa voie. Le ciel avait la clarté des soirs de juillet qui mettent une éternité à s'assombrir après le coucher du soleil; il s'en dégageait une luminosité rassurante laissant croire à la perpétuité du jour.

De l'endroit où il se trouvait, il distinguait nettement la silhouette bleue de la ville dont les gratte-ciel construits en bordure de la mer se reflétaient dans une eau parfaitement étale, lourdement aplatie comme si en réalité il se fût agi d'une vaste étendue de pétrole onctueux. Il n'y avait pas la moindre brise qui en fît osciller la surface liquide; rien, d'ailleurs, ne bougeait, tout avait cette immobilité photographique des objets enfermés dans un œuf de verre.

Bizarrement, il ne s'étonnait pas que tout parût ainsi pétrifié. Il ne remarquait pas davantage l'épaisseur du silence sur ces docks où il déambulait parmi les treuils et les ballots de marchandises, longeant les rails où parfois se dessinait le volume sombre d'un wagon-citerne ou celui, plus léger, d'une plate-forme vidée de son fret. Son attention se portait surtout sur la large baie qui séparait la ville du port, et il ne comprenait pas pourquoi on avait aménagé des quais à telle distance de cette métropole vers laquelle il se dirigeait mais qui, il le constata soudain, semblait s'éloigner quand, au contraire, elle aurait dû se rapprocher. Au moment même où il notait cela, il remarqua que le ciel s'était obscurci et que l'air avait acquis une densité plus grande, comme si on eût compressé la nuit entre de solides murailles pour l'épaissir et la rendre opaque. Il chercha un repère en se tournant de côté et d'autre, car la noirceur profonde lui donnait un peu le vertige. Là, des cargos enfonçaient leur masse dans les ténèbres et perdaient déjà leurs contours. Aucun hublot ne laissait filtrer de lumière, pas un seul mât ne brandissait de feux. Vers les hangars, le même néant semblait s'être installé, et il eut beau souhaiter quelque chose qui ressemblât à une porte roulante pour y pénétrer et fuir l'ombre qui l'enserrait maintenant jusqu'à l'étouffer, il ne vit rien qu'une paroi lisse et sans reflet paraissant n'avoir pas de fin.

Il marcha quand même dans cette direction, car il espérait y trouver la sortie du port. Ses pas résonnèrent longtemps dans la nuit. Il entendit leur écho pour la première fois et s'aperçut qu'hormis le bruit de ses semelles sur le ciment, aucun son ne venait troubler le silence, et celui-ci lui parut soudain irréel et terrifiant.

Il heurta quelque chose. Ce contact pourtant prévisible le fit tressaillir. Il recula. Des gouttes de sueur coulaient le long de ses tempes. Il allongea les bras devant lui avec prudence, puis ses doigts touchèrent une surface dure et froide, matérielle, qui le calma un peu. Il y appuya ses paumes et se mit à longer ce qu'il croyait un entrepôt, mais comme il dut marcher ainsi très longtemps, il pensa plutôt qu'il devait s'agir d'un mur d'enceinte et que bientôt ses mains rencontreraient le fer d'une grille. A un moment, il crut tourner en rond, car il devait parfois croiser un peu les pieds et il sentait la surface où couraient ses paumes se creuser d'une manière quasi imperceptible.

Il respirait avec difficulté. Son cœur battait contre ses côtes avec une violence telle qu'il pensa défaillir, et il se laissa glisser le long de la paroi. Assis par terre, il tourna la tête vers l'endroit d'où il venait, et vit avec effroi que la ville qu'il cherchait toujours à atteindre s'était encore éloignée. De faibles lumières y brillaient, mais elles paraissaient maintenant si lointaines, si petites, qu'il craignit ne jamais plus pouvoir retrouver leur serein réconfort. Cette pensée lui redonna le courage de poursuivre sa quête malgré le sort qui s'acharnait sur lui.

Ce n'est que beaucoup plus tard que le mur s'évanouit. Il lui semblait avoir marché pendant des heures quand, subitement, ses mains ne reconnurent plus sous elles qu'un vide infini qu'elles se mirent à fouir nerveusement. Etrangement, même la surface qu'elles venaient à peine de quitter s'était volatilisée. Il ne longeait plus rien, ne touchait plus rien, se sentit tout à coup happé par un néant obscur et profond qui le glaça. Il demeura immobile pendant de longues minutes, puis se hasarda à avancer d'un pas. Le sol était toujours là. Ce fait le rassura un peu et il bougea l'autre pied. Tout allait. Il marcha alors lentement, comme un aveugle, en tendant les bras devant en guise d'antennes qui devaient l'avertir de la présence d'un obstacle, d'un objet, d'un élément tangible, en somme, qui eût humanisé ce rien effroyable où il errait.

A quelque temps de là, il crut discerner sur sa droite un reflet pâle. Mais cela ne dura pas et dès qu'il eut tourné la tête, la lueur avait disparu. Il poursuivit son chemin en se disant qu'un bruit, un son, n'importe lequel, qui percerait la nuit la lui rendrait plus supportable. A plusieurs reprises, il eut envie de se laisser tomber et d'attendre là, étendu, que la mort vînt le libérer, mais en même temps il songeait qu'il était peut-être déjà mort, que la mort était peut-être justement cet itinéraire fou au sein d'un univers impalpable, éternel, ce néant noir, et cette pensée lui parut si aberrante qu'il fit un effort surhumain pour la chasser de son esprit.

Brusquement, il vit devant lui une enseigne lumineuse qui allumait et éteignait tour à tour ses idéogrammes chinois. Le cœur lui bondit dans la poitrine: derrière la première enseigne, n'en apercevait-il pas une autre? Et derrière celle-là, une autre encore? Il ne se contint plus de joie quand il constata que des façades d'édifices semblaient vouloir percer le noir. On eût dit que le ciel s'éclaircissait aussi, mais à peine, juste assez pour qu'il discernât une rue bordée d'un côté par de petites boutiques. Cela suffit à lui redonner de l'assurance, et il enfonça les mains dans ses poches en sifflotant un air à la mode.

Peu à peu, sur sa gauche, la nuit rosissait. Lentement, un disque rouge sortait du plafond obscur et descendait vers une ligne d'horizon encore invisible. Que le soleil fût sur le point de se coucher n'éveilla cependant pas en lui la moindre inquiétude. Il ne fit aucun cas de ce monde à l'envers, ne réagit nullement devant l'absurde d'une nuit qui prenait fin avec le ponant. Il nageait dans le même bonheur qu'un enfant craintif redécouvre quand on allume, dans sa chambre, une veilleuse rédemptrice qui chasse les ombres, les fantômes et la peur.

Maintenant, la clarté revenait avec assez de force pour qu'il pût détailler le contenu des vitrines. Il y trouva un canard caramélisé pendu par les pattes, des bouchées de viande de porc disposées avec art sur des plateaux, des sachets d'épices, un panier plein de racines de gingembre qui tordaient leurs bras marqués de nœuds, des piles d'assiettes de porcelaine où s'encastraient quelques grains de riz, une paire de pantoufles brodées, un couperet, des baguettes de bois peint, deux ou trois boîtes de thé où apparaissait le dessin d'une montagne dont la crête transperçait un nuage, des revues pornographiques thaï, des poupées japonaises qui balançaient des fléaux sur leurs épaules, quelques lamelles de ginseng étalées sur un carré de soie jaune, une pipe d'opium, un carton qui disait: *Chinese dresses imported from Taïwan — free alterations with orders $100 and over*, des lanternes de papier, une pagode en plastique frangée de noir, des contenants de paille emboîtés les uns dans les autres et des laitues de toutes sortes sous les feuilles desquelles bougeait parfois une pince de crabe ou un cafard; il vit aussi des pots de verre pleins de champignons, de bâtons de vanille, de châtaignes d'eau ou d'herbes séchées, et un petit paquet d'encens sur un bouddha de plâtre peint en rouge.

Cette rue déserte que n'animaient que ses vitrines remplies d'objets hétéroclites lui donna un sentiment de sécurité tel qu'il en oublia presque l'aventure effroyable qu'il venait de vivre, mais pas assez grand cependant pour lui éviter un sursaut quand une voix se mit à fredonner derrière lui, un octave au-dessus, le même air qu'il sifflait depuis tout à l'heure. Il eut honte aussitôt de s'être laissé emporter par la crainte, inspira profondément et se tourna vers la personne qui le suivait.

Il aperçut une femme assez grande et fort belle dont les longs cheveux noirs coupés en frange droite à la hauteur des sourcils flottaient sur ses reins. Elle portait une robe moulante safran, à col Mao, dont un côté s'ouvrait jusqu'à la cuisse. Les yeux à peine bridés révélaient son sang mêlé tout comme, d'ailleurs, le teint plutôt sombre, dépourvu de cette blancheur jaunâtre typique des Asiates. Elle chantonnait en souriant de toutes ses dents égales, et quand elle arriva à sa hauteur, il décela dans l'air un parfum capiteux comme de patchouli ou de benjoin.

— Pardon, madame…

Il lui fit part de son désarroi devant ce quartier dont il avait, à ce jour, ignoré jusqu'à l'existence et lui demanda quel chemin le mènerait vers le centre-ville. Elle l'examina un moment en penchant un peu la tête de côté, sourit de plus belle et lui fit signe de la suivre.

Le ciel était d'un bleu électrique, limpide, sans nuage, et dans la lumière méridienne qu'aucun soleil pourtant ne dispensait, les cheveux de la femme luisaient comme des rivières de lignite. Elle le précéda au long de rues en tous points semblables à la première, toutes encombrées d'enseignes colorées et de boutiques. On se serait cru à Hong-Kong, la foule en moins. Chacune de ces rues lui paraissait plus élevée que la précédente comme si elles eussent été construites en terrasses, mais il ne remarquait aucune pente ascendante, toujours il avait l'impression de marcher sur du plane, sans effort, sans tiraillements aux mollets. Ils débouchèrent enfin sur une sorte de plateau ouvert au fond duquel apparaissait la tache sombre d'un bois. Il se retourna une dernière fois pour jauger le chemin parcouru et vit, non sans un certain agacement, que la ville était presque mangée par l'horizon, qu'elle était devenue encore plus lointaine, minuscule, fuyante.

— Vous êtes certaine que c'est par là? demanda-t-il.

La femme fit oui plusieurs fois de la tête, avec impatience, et lui signifia de se dépêcher.

Bien qu'il fût convaincu d'être victime d'un leurre, il la suivit car elle l'intriguait. Il lorgnait le taillis d'un œil presque lubrique, s'inquiétant de savoir si l'Eurasienne n'était pas une jeune femme aux mœurs légères et s'il n'allait pas se passer là des choses que la morale condamne. Il fut vite déçu. Dans le petit bois, le terrain devint rapidement très accidenté, nullement propice aux ébats, et il se dit qu'elle le conduisait sans doute vers un abri confortable au-delà du boqueteau. Au bout de quelque temps, il s'étonna du fait qu'elle suivait toujours un sentier sûr, plus aisé que celui où il se trouvait et plus bas. Lui-même affrontait constamment de fortes déclivités, des obstacles complexes formés de troncs d'arbres et de broussailles touffues et épineuses, des sols trop meubles, presque des marécages où il s'enfonçait. De temps à autre, il essayait de la rejoindre, mais une pierre, un rets inextricable de branches le forçaient à regagner sa propre sente.

— Vous semblez bien connaître le chemin, réussit-il à dire entre deux trébuchements.

— Naturellement, fit-elle. J'ai dessiné moi-même ce parcours.

L'absurdité de cette réponse le frappa, mais il était trop occupé à éviter de se crever les yeux sur les branches pointues groupées devant lui pour la relever.

Ils continuèrent ainsi pendant une bonne demi-heure. Puis, les arbres se dispersèrent et bientôt il n'y en eut plus un seul. Devant le couple s'étalait une vaste étendue gazonnée, soignée comme un jardin à l'anglaise. Sur ce grand espace vert, la lumière drue de l'après-midi formait de larges plaques brillantes où l'herbe rase chatoyait telle une étoffe de prix. Ils s'y engagèrent, l'un suivant l'autre qui avançait à petits pas rapides en faisant parfois un signe de la main comme pour dire: « Allons, allons, il n'y a pas de temps à perdre. » Lui ne s'inquiétait plus de savoir où cette femme le menait: il se contentait de lui obéir, en proie à une étrange fascination.

Le parc était parsemé de petits kiosques en forme de temples doriques d'une éclatante blancheur, abritant chacun une demi-douzaine de femmes en robes cintrées couleur safran. De l'un d'eux, qu'ils contournèrent, sortirent soudain deux oiseaux fabuleux, des échassiers aux pattes noires et grêles, au corps jaune, dont la tête huppée était pourvue d'un long bec effilé et recourbé comme un sabre. Ils se dirigèrent immédiatement vers lui et le plus grand des deux, sautant sur le bras de l'homme, agrippa son poignet, y arrondit les serres et, tête renversée, se balança dans le vide. Puis, d'un mouvement rapide, il se remit à la verticale et picora le biceps de sa proie. Comme l'homme tentait de se libérer en introduisant ses doigts entre les griffes de l'animal, il fut saisi d'un haut-le-cœur: l'oiseau ne possédait qu'un œil, immense et rouge, en plein centre du front, et cet œil le regardait fixement.

A ce moment, l'Eurasienne dit quelque chose dans une langue qu'il ne comprit pas, l'échassier lâcha prise et les deux oiseaux s'éloignèrent, ou mieux, les précédèrent jusqu'à une longue table nappée de blanc derrière laquelle s'affairait une autre femme, jumelle de la première.

La table croulait presque sous le poids de nombreux plateaux d'argent poli pleins de canapés que la seconde Eurasienne préparait en disposant, sur des craquelins de formes variées, des mets appétissants taillés en cubes, qu'elle choisissait dans un panier.

Comme la faim le tenaillait, il voulut s'approcher de la table, dressée, de toute évidence, pour une fête, mais son guide le saisit par la manche et lui fit faire un long détour, toujours à la suite des échassiers qui disparaissaient maintenant derrière un haut paravent de laque rouge ouvert sur la pelouse.

Là, il vit des contenants empilés les uns sur les autres, d'étranges ustensiles qui l'intriguèrent et, chose bizarre, un petit poteau auquel pendaient de lourdes chaînes munies de solides anneaux. Il se demanda, non sans une certaine crainte, à quoi tout cela pouvait bien servir, mais avant même qu'il prît conscience de ce qui lui arrivait, on le poussait à genoux, on l'attachait au poteau par les chevilles et les poignets, et les échassiers perçaient de leur long bec ses carotides. Il cria, mais personne ne lui porta secours. Les oiseaux enfoncèrent de nouveau leur bec dans son cou, le fouillèrent, puis burent tout le sang de son corps et s'en furent par où ils étaient venus.

L'Eurasienne détacha le cadavre, l'étendit par terre avec soin, le déshabilla, et s'employa à le dépecer minutieusement. Chaque cube de chair allait remplir un panier qui, une fois plein, était ensuite déposé près de la grande table, à portée de main de la cuisinière.

Autour, s'attroupaient déjà des douzaines de femmes, toutes identiques aux deux premières. Comme elles se ruaient sur les canapés avec des ronrons de plaisir, le soleil se leva en vernissant l'horizon pâle de grandes taches orange qui passèrent lentement au grenat, puis au pourpre, puis au noir.

La baronne
Erika von Klaus

Je suis la baronne Erika von Klaus. Je n'ai pas d'histoire.

Quand le soleil est bien couché et que tout Paris allume ses feux, je me parfume avec des essences rares, j'enfile une robe vaporeuse qui met en valeur ma beauté du diable, et je sors.

Au long des boulevards, les hommes que je croise me saluent avec déférence. Je sais que je leur plais.

Puis, toujours, j'entre chez Maxim's dans un bruissement de soie noire qui interrompt les conversations et fait tourner les têtes. Bien que je n'adresse la parole à personne, il se trouve inévitablement quelques galants qui m'offrent tour à tour champagne et caviar et me font danser jusqu'à l'aube.

Les femmes m'observent du coin de l'œil avec une envie mêlée de rage secrète. Certaines n'ont plus été revues au bout de quelque temps, mais leurs maris reviennent quand même et m'attendent. Ils sont tous fous de moi et me comblent de diamants ou de saphirs que je glisse savamment dans mon corsage. Deux ou trois d'entre eux, murmure-t-on, sont morts de m'avoir trop aimée. Je suis flattée de ces marques d'attention.

De cavalier en cavalier, la nuit s'écoule, tandis que je me grise de musique et de paroles tendres. Si l'on m'offre une alcôve avec des draps parfumés, je refuse en souriant, puis me glisse hors des bras qui cherchent à me retenir. Mais les passions que j'éveille sans cesse m'enivrent mieux que les meilleurs crus.

A l'aube, quand la musique s'est tue, je rentre chez moi. Si d'aventure me suit l'un de mes prétendants, je me faufile agilement parmi les rues étroites. Personne n'a pu découvrir où j'habite.

Là, dans mon domaine, j'enlève gants, bijoux, robe et masque. Tous ces accessoires qui me font exister.

Alors, dépouillée de tout, fluide et invisible, je retourne, heureuse, au néant.

Le chemin des Chèvres

En plein midi, abattu par une fièvre diabolique du sous-sol comme si le soleil ne suffisait plus à étouffer en lui toute la sève, le chemin des Chèvres se déroule encore plus lentement que de coutume.

Telle une bête tordue, le sentier grimpe jusqu'au village accroché à un faîte, il en atteint les murs de maçonnerie sans âge où bée l'arche d'accès qu'aucune porte ne ferme plus. Un juillet blanc, empoussiéré, confère au site une apparence de forteresse morte, d'anachronisme pourtant voisin des grandes métropoles du bruit.

Pas un pavot dans les prés en bordure qui ne s'incline sous le poids du jour tandis que nulle brise ne l'émeut, ni ne dérange l'air raréfié où toute vie semble dormir, coincée dans un silence trop vif pour être mortuaire, trop fixe pour être ressenti autrement que dans une sorte de torpeur.

Pas un écho. Pas un nuage. Pas un mouvement.

Il en sera ainsi jusqu'à six heures.

Pour la millième fois, Barba écoutait depuis la porte d'arche s'éveiller les premières brises de fin d'après-midi sur son domaine et ressentait une lente douleur au creux de l'estomac en voyant de très loin s'affairer les plus jeunes sur les terrasses. Tous leurs gestes, désormais, ne lui appartenaient plus; et parce qu'il ne supportait pas qu'on lui arrachât ainsi ses vignobles, il trouvait un certain répit à boire sans continence le vin noir et bouillonnant que d'autres, à leur tour, fabriquaient.

Il l'engorgeait comme on profère des insultes réfléchies, en respectant ironiquement les rituels, les lois ancestrales qui l'obligeaient malgré lui à lever son verre à une santé quelconque.

— A la mienne!

Et pourquoi pas? Qui donc séjournait maintenant dans son existence? Il n'avait pas de fils qui eût hérité ce savoir occulte par quoi on fait fleurir les vignes, pas de fille à qui léguer tant de sagesse acquise à force de labeur. Quant à la femme, elle était morte depuis longtemps. Mais outre la solitude, ce qui lui rendait la vie intolérable, c'était de sentir que ses muscles d'autrefois, son dos d'acier, ses bras pourtant encore forts n'avaient plus aujourd'hui la moindre utilité. Il était devenu le vieillard qu'on tolère, le barbu, Barba, qu'un entêtement féroce poussait encore à vivre sans plus de but que n'en ont en un siècle atomique les anciens murs d'enceinte qui s'effritent et qu'on ignore, faute de trouver de bonnes raisons pour les recimenter.

Il était demeuré droit, sans courbure, altier, par une sorte de défi envers toutes ces jeunesses qui le narguaient en prétendant réclamer des conseils dont elles riaient ensuite, niant que plus de plomb pouvait avoir été nourri derrière cette barbe jaunasse que dans leurs petites têtes de paysans modernes.

Comme tous les jours à la même heure, Barba caressait des yeux les alentours, bientôt gorgés de grappes par l'automne, ces grappes bleues aux belles billes dont la peau tendue semble toujours prête à se fendre.

Il porta les doigts à sa barbe d'un blanc douteux qu'il n'arrivait plus à peigner sans l'emmêler davantage, songea que toutes ces réflexions lui donnaient soif et qu'Ada, la femme du tavernier, était douce et bonne et qu'elle aurait sans doute quelques gorgées de vin à lui offrir.

Mais Ada, ce soir-là, relevait d'une querelle de ménage et n'était pas généreuse. Elle restait immobile derrière le comptoir et boudait comme seules savent le faire les femmes de la ville.

Car Ada était femme de la ville. Blonde, belle, frêle, avec des chevilles fines qui n'avaient jamais subi auparavant les affres des chemins de montagne. Elle était arrivée un matin, nul ne sait trop pourquoi ni d'où. Le tavernier l'avait pour ainsi dire prise en charge. Il continuait, à ce jour, à se taire sur ses origines, en admettant qu'il les eût connues.

Ce fut lui qui déposa la fiasque, d'un geste brusque sur la table devant Barba, avant de sortir et de s'asseoir à côté de la porte pour ruminer sa colère.

Barba, sans se préoccuper de la froideur du tableau, se versa un verre et but avidement. Puis il s'en versa un second. Et encore un autre. Bientôt, la douleur qu'il avait ressentie plus tôt s'estompa. Le vieillard jurait qu'en lui montaient des forces nouvelles, comme du sang neuf.

« Maudits soient tous ces jeunes prétentieux »,
songea-t-il. Et il se déplaça un peu en se tournant
pour regarder Ada. Elle lui parut soudain encore plus
belle dans sa pâleur éthérée. Un grand souffle de vie
lui parcourut le corps et il se surprit à la désirer avec
violence.

Comme si elle avait senti en lui ce grand boule-
versement, Ada, bras fermement croisés sous son
châle robuste, siffla entre ses dents, telle une chatte
rebelle.

— Si tu n'étais pas si laid, lança-t-elle avec mépris, si vieux et si sale, je te ferais des choses ignobles... par dépit...

A ces mots, Barba sentit en lui un vide intolérable que rien, jamais, ne saurait plus combler. Ada
l'avait atteint mieux qu'une lance et détruit d'une
seule phrase bien projetée le peu de vie qui lui restait.

Mû par une fureur qui ne lui ressemblait pas,
Barba, prenant appui sur les tables et les chaises,
tituba jusqu'à elle pour lui cracher au visage. Puis il
contourna le zinc pour lui asséner une gifle mons-
trueuse et saisir son châle des deux mains. Le lui
ayant arraché, il s'en servait maintenant comme d'un
fouet, faisant voler à travers la pièce les verres et les
bouteilles qui jonchaient le comptoir.

Ada ne broncha pas, se contentant de l'observer
avec dégoût tandis qu'il sortait d'un pas mal assuré
en tordant le châle entre ses poings. Le tavernier,
revenu sur les entrefaites, ne put que constater les
dégâts. Quand Barba eut rejoint l'arche de l'enceinte,
il laissa échapper un sanglot, presque un râle, et
s'assit.

Il demeura longtemps à cet endroit pour pleurer.

Du village, lui parvenaient des odeurs de cuisine. Les hommes étaient déjà rentrés des champs.

Plus tard, à la nuit pleine, il se leva avec assurance, renifla deux ou trois fois, descendit droit comme un arbre le chemin des Chèvres et pénétra dans une petite construction de pierre, un cabanon où l'on entreposait les outils des vendanges.

C'est là qu'on le retrouva à l'aube, se balançant à un crochet, un châle de femme solidement noué autour du cou.

La commodité

à M. T.

« Abusus non tollit usum. »[1]

Je lui avais dit: « Si tu viens avec moi, je te montrerai une cache pleine de bonnes choses. »

Mais elle ne m'a pas écouté. C'est une manie chez les chiennes. Elles te répondent toutes: « Va donc voir là-bas si j'y suis », ou bien « Tu n'es pas le premier doberman que je rencontre », ou pire « A moi, on ne me la fait plus », comme si nous étions tous de sales mâles ignobles, toujours menteurs, jamais sincères.

Mais je l'aime! Depuis la première fois qu'elle m'est apparue avec son pelage satiné et ses flancs mobiles, je ne pense qu'à elle, à toute cette chaleur qu'elle me refuse quand elle s'éloigne, hautaine, en me jetant un regard dédaigneux.

---

1. L'abus que l'on peut faire d'une chose ne doit pas forcer nécessairement de s'en abstenir.

J'ai le cœur tordu de souffrance. Depuis tout à l'heure, je l'observe et j'élabore intérieurement des approches nouvelles qu'elle ne connaîtrait pas, des phrases si belles, si différentes qu'elle ne les aurait jamais entendues. Je l'aime. Il faut qu'elle me croie: il y va de mon bonheur.

Elle cède! Par saint Bernard! Elle a cédé! Oh, bien sûr, elle est encore un peu réticente, mais je vois bien qu'elle faiblit. Le plaisir que j'éprouve ne représente-t-il pas une preuve irréfutable de mon profond attachement? Elle n'est pas encore très sûre de moi, mais je la convaincrai, je la convaincrai... Je la convaincs déjà en lui mordillant l'épaule comme je le fais... Encore un peu et elle roucoulera d'aise... « Merveilleuse..., lui dis-je dans le creux de l'oreille, tu es merveilleuse... » Alors, elle tremble, on dirait. Et j'entre profondément en elle. Un bonheur immense m'envahit. J'ai l'impression de toucher son âme...

Elle ne dit rien. Elle se contente de me regarder. Elle a des yeux... comment dirais-je... doucereux. Oui, c'est ça. Mielleux même. Jusqu'à m'agacer. Tiens, bizarre. Je n'avais pas encore remarqué cette bosse, là, sur sa patte. Cela la déforme un peu. A bien y penser, elle n'est pas si jolie que je croyais. Et ce regard qu'elle a! Il est plein de... de... d'admiration! Oui, c'est ça! Non! en fait, c'est pire. Cela m'amuserait qu'elle m'admire, mais c'est pire. Un peu plus et je serais prêt à jurer qu'elle m'aime. Et voilà qu'elle pose son museau humide sur mon cou, non, vraiment, quelle chichiteuse à la fin! Tout ça pour une petite saillie de rien du tout! Pourvu qu'elle ne me parle pas de la cache... Si j'en juge par son attitude de maintenant, elle va vouloir tout rafler et moi avec... Et après, ce sera quoi? La portée? La petite famille? Les responsabilités? Ah, non! Vraiment! Toutes pareilles, ces femelles! Elles balancent des croupes à vous rendre fous, elles feignent l'indifférence, se font prier, vous obligent à des manœuvres de stratèges! Nous, on joue le jeu comme des imbéciles, on se coupe en quatre pour les accommoder, et des compliments par ci, et des cérémonies par là, elles se prétendent délurées et autonomes, et hop! à la première occasion, c'est la patte au collet. Non merci. Pas pour moi. D'ailleurs, elle est plutôt moche. Sans allure. Sans classe. Bonne pour un chien errant un peu aveugle et un peu stupide qui aurait besoin d'une maman. Mais certes pas pour moi. Ce qu'il me faut, à moi, c'est une belle grande danoise libérée qui ne confondra pas le permanent et le provisoire. Ç'en est trop. Je m'en vais.

Tiens... ça, par exemple! J'aurais cru qu'elle pleurerait... Quelle ingratitude! Tu les couvres d'hommages, tu les gâtes, tu les traites bien, tu leur procures des plaisirs raffinés, et ça n'a même pas le cœur de te manifester de la peine quand tu pars... Vraiment... Je ne comprendrai jamais rien aux chiennes...

Rollon

En ce temps-là arriva au pays un homme qui venait des côtes et dont on disait qu'il entendait le langage des bêtes et faisait des miracles.

Et c'est Rollon, le borgne, qui le premier profita de son art.

Cela se passa en grand secret, à l'heure brune entre chien et loup, parmi les paquets d'herbes liées, les encens et les cornues, dans une pièce sombre et fraîche où flottait en permanence un vague relent de moisissure.

Rollon, qu'un goût inné du dramatique avait poussé à choisir pour son commerce étrange ce moment précis de la journée, traversa sans qu'on le vît le village désert en pressant contre lui un chevreau béguetant. Il frappa à grands coups aux panneaux de bois disjoints faisant office de porte, et entra.

Devant une table où s'entassaient démêlures blondes provenant de têtes d'enfants, poils de loups et rognures de griffes, talismans gravés de signes runiques et médailles incuses, alambics, mandragores, pentacle, cordelière rouge à six nœuds, grimoires et autres pieux objets, se tenait debout l'étranger vénérable à qui le borgne, à la fois empressé et craintif, adressa sa demande.

— Rends-moi aimable à la fille Matian.

Le magicien réprima un froncement de sourcils devant l'extravagance de la requête. Rendre aimable à la fille Matian ce gueux à moitié aveugle, ce sujet taré, pouilleux et puant, cette loque que l'isolement auquel le condamnait son aspect répugnant menait sans doute à d'indicibles perversions tenait en effet du miracle. La fille Matian, il ne l'ignorait pas, jeunette aux longues cuisses et aux seins fermes, s'enorgueillissait d'une vertu inébranlable qui lui valait l'honneur insigne d'ouvrir la marche des vestales pendant les processions de la Vierge. Quand il s'agissait d'assister les juments lors de la mise bas, d'appeler la fertilité du sol à l'équinoxe du printemps, de provoquer des crampes au ventre de la femme adultère, d'arrêter le sang ou de conjurer le sort, le sorcier connaissait les rites. Mais pour unir la belle à la bête dans un grotesque accouplement, il se sentait des lacunes. Bien qu'il eût joui d'une réputation apparemment plus grande que ses pouvoirs réels et dût la préserver par un acquiescement, il hésita un peu avant de répondre:

— Et pour ma peine...? Ce sera un travail délicat...

Rollon lui tendit le chevreau. Sur un signe approbateur du mage, il déposa par terre l'animal qui se tint un moment sur ses pattes flageolantes, puis les replia sous lui et s'endormit.

Le sorcier ayant tracé un cercle et un triangle sur le sol se mit en frais d'orner la table sacrificielle avec des branches d'épicéa, des cônes de *Pinus divaricata* (achetés à prix d'or d'un nordique) dont la forme incurvée rappelle les cornes de certains animaux, quelques feuilles de chêne blanc et des bougies rouges au nombre de cinq. Quand l'encens rituel eut empli l'air vicié d'un parfum curieux évoquant à la fois le patchouli, le poivre et le gingembre, quand furent bénits l'eau et le sel et purifiés l'autel, le cercle et le triangle, le mage entonna une longue invocation avec une voix grave et monocorde dans une langue dont Rollon ignorait les secrets. Le borgne, médusé par ces pratiques étranges, n'osait toutefois demander quelques éclaircissements, car il possédait la science des simples et savait qu'un pouvoir partagé est un pouvoir décru. Il se tint coi dans un angle obscur, tremblant parfois devant la majesté de l'officiant jusqu'à ce que, à la dernière lueur des bougies, un mot latin marquant la clôture de la cérémonie, *Fiat! Fiat! Fiat!*, eût résonné trois fois avec emphase dans la chambre.

Le magicien au visage roussi par le reflet des braises mourantes dans la cassolette se tourna vers Rollon et mollement lui dit:

— Maintenant, va... va... Dans trois jours... oui, trois jours, la fille Matian sera à toi.

Courbé et ahanant, clignant nerveusement de son unique œil et essuyant du revers de la main le filet de bave que l'excitation mettait au coin de sa bouche torse, Rollon marmonna quelque chose qui devait être une action de grâces, fit grincer la porte en l'entrouvrant et sortit.

Le pays, sur sa montagne poussiéreuse et tour-
mentée à midi, s'ouvre comme une blessure sous le
soleil qui le lacère mieux qu'un fouet. On accède à ses
maisons ternes par un chemin abrupt fait de terre
brûlante, et rares sont ceux qui, comme la fille Matian, peuvent grimper jusque là-haut sans jamais désirer de brise ou de repos. Si l'on tend l'oreille, si l'on
s'arrête pour ne pas faire crisser le sol trop sec sous le
bois des socques, on peut entendre une musique à
peine perceptible telle une eau qui court: il n'y en a
qu'une larme que les gens d'ici appellent « rivière »
par défi, une coulée précieuse dans ces contrées
oubliées de Dieu.

Rollon s'assoit par terre en s'adossant au muret
fleurant la câpre, là où le chemin décrit un large S,
pour attendre à son aise le passage de la fille.

Quand elle paraît au tournant, le soleil dessine
ses jambes sous la robe légère. Rollon se lève et va à
sa rencontre en arborant un sourire mouillé et cro-
chu. Elle a un mouvement de recul: un dégoût mêlé
de peur lui ordonne de fuir. Mais elle sait, dans sa
jeune sagesse, qu'il ne faut pas contrarier les simples
et elle reste là, tremblante, tandis que le borgne flatte
doucement son bras en lui murmurant ce qu'il croit
être des mots d'amour. Puis il l'entraîne à l'écart de
la route. Dans son ardeur, il a déchiré la robe de la
fille Matian. Elle crie, mais il ne l'entend pas vraiment. Elle souffle aussi et se plaint maintenant sous
le poids qui l'écrase tandis que Rollon serre le cou
splendide, ah oui! il serre cette chair cuivrée qui le
rend fou, cette peau si douce de la fille qui se débat
encore plus faiblement tandis qu'il la presse contre
terre. de tout son long. Quand elle s'est finalement
tue et qu'elle a fini de bouger, Rollon se dit que la
fille Matian doit l'aimer beaucoup à se montrer ainsi

soumise, et il s'emploie, confiant et avec une impatiente fureur, à la prendre, la fourrager, la mordre. Puis, de bonheur, il se sent emporté par une vague multiple qui s'éteint dans un râle et le laisse pantelant.

Il fallut à Rollon de longues minutes pour comprendre que la fille gisait morte. Alors, en parcourant de ses doigts crasseux son corps aimé et meurtri, il demeura longtemps assis à réfléchir, bouche à moitié ouverte, tandis qu'un filet de larmes venait tomber sur l'ourlet de sa lèvre et que, de temps en temps, il reniflait.

Rollon mit le reste de la journée à creuser le sol de ses mains. Quand le trou fut assez grand et profond, il y fit glisser le corps de la morte, puis il le recouvrit de terre et de lavandes mêlées et disposa sur le monticule quelques cailloux en forme de croix et un bouquet de saxifrage.

A la nuit tombée, une brise chargée de pluie faisait se retourner les feuilles. Le borgne grimpa jusqu'au village à vau-vent, les pans maculés de sa veste battant l'air comme des étendards. Son œil de cyclope était agité d'un tic tandis qu'il blatérait tel un bélier en rut. Il rejoignit la place où se dressait l'église, passa devant sans relever la tête et poursuivit son chemin parmi les ruelles tortueuses. Face aux panneaux de la porte entre lesquels le vent sifflait, il cria en le maudissant le nom du mage, puis il se précipita avec hargne dans la masure de l'étranger dans le dessein bien arrêté de lui trancher la gorge.

La cueilleuse

Tous les jours à cette même heure, Santo rentre chez lui.

Comme il passe devant les fenêtres sombres derrière lesquelles les femmes cousent ou s'affairent autour de leurs casseroles, je l'observe. Plus grand que les autres hommes, il se dresse aussi plus fort, plus fier. Sa peau bronzée, visible par la chemise ouverte, et tendue serrée dessus les muscles puissants, luit. Il a des cheveux noirs et bouclés qui le font ressembler à un saint de chapelle. Ses yeux éclatants paraissent des olives et ses dents laissent peut-être des marques roses sur la peau quand il mord. En le voyant, je ressens une lourde chaleur sur mes hanches, comme des mains qui les presseraient et descendraient au long d'elles jusqu'aux cuisses, les séparant pour d'étranges découvertes. C'est toujours comme ça, depuis quelque temps, après le jour et le grand soleil. La chaleur me donne des idées inhabituelles. Si les autres femmes, la nuit, se contentent de peu, moi je suis différente. Moi, Santo, je l'aurai.

Et Santo voudra de moi car j'ai quinze ans et je suis désirable. Je ne ressemble pas aux femmes d'ici.

Je ne veux pas vivre comme elles en étouffant mes cris. Ma peau, plus pâle, à grain délicat, appelle des caresses savantes. J'ai aussi de longs cheveux qui encerclent mon visage de madone où mes yeux, d'un bleu profond, s'ouvrent comme des fenêtres sur le ciel. Je refuse de porter les vêtements tristes et lourds des plus vieilles et me vêts de robes légères et colorées, vives, mouvantes, sous lesquelles mes seins petits et fermes se dressent avec arrogance. Malgré mes chevilles un peu épaisses, mes pieds sont bien formés. Quant à mes mains aux longs doigts souples, elles sentent parfois le citron frais.

J'ai quitté tout à l'heure la maison de mon père qui me reproche un peu mes goûts de liberté, mais qui m'adore et ferme les yeux. Je suis entrée chez Santo avant qu'il n'arrive et je me suis couchée pour l'attendre.

Quand elle parla, ce n'était pas la voix que j'attendais. Devant moi se tenait Dionisia, une vieille d'au moins trente ans, laide et ridée par le soleil, un foulard noir noué autour de son chignon. Je me dressai sur un coude en la défiant.

Elle me dit des choses horribles, alla même jusqu'à me traiter d'enfant, puis elle me saisit par le bras pour me faire lever. Je me raidis, bouillonnante d'orgueil, prête à la lacérer. Mais je me retins.

Je pars. Soit. Mais je reviendrai, je le jure. Je me tapirai là, près de la maison, pour les attendre. Puis, lorsqu'ils feront l'amour comme des bêtes gluantes, qu'elle braira comme un âne, j'entrerai sans faire de bruit, oui, tout doucement, et je plongerai plusieurs fois en eux le joli petit couteau que m'a offert mon père qui m'adore, et que je porte toujours sur moi quand je vais cueillir des herbes.

Tara

Il fuit. Il est splendide quand il fuit. Je dirais même plus: il est divin.

Ainsi marqué par l'épouvante, son visage a quelque chose de très attachant. Je m'en suis aperçue tout à l'heure quand, au sortir d'une sieste qu'il faisait allongé contre moi, il s'est retourné pour m'embrasser et a posé sur moi un vrai regard d'homme. Sa bouche a formé un grand AH! silencieux qui découvrait des dents blanches et égales quoique un peu longues à mon goût et ses yeux, qu'il a plutôt petits, se sont ouverts démesurément en montrant leur véritable couleur, ni bleu, ni gris, ni vert, mais un mélange des trois avec, en plus, des petits points lumineux, des pépites d'or comme on en trouve sur certaines pierres au bord des profondes mers froides.

Il s'est dégagé très vite. D'un bond, il était debout. Mais il continuait de me regarder avec cette expression fabuleuse des hommes que la mort touche de près. Il était — oserai-je dire? — transfiguré.

A m'entendre, on croira que j'ai pris un malin plaisir à lui faire horreur…

58

Vrai, j'ai admiré son visage que la peur rendait encore plus beau et autour duquel elle dessinait comme un halo lumineux. Vrai, quand il s'est mis à courir, j'ai noté combien ses muscles agiles étaient appétissants, plus encore à ce moment-là que lorsqu'ils se mêlaient aux miens en faisant l'amour. J'ai même pensé qu'ils devaient être délicieux à mordre, meilleurs, sans doute, que pendant nos ébats. Et j'ai couru à sa suite, poussée par un insoutenable désir, pour m'en assurer.

Mais, en réalité, son attitude m'attriste beaucoup, car s'il m'a ainsi vue, il ne m'aime pas vraiment. S'il m'aimait vraiment, je serais encore pour lui, même après l'amour, surtout après l'amour, la même longue fille brune qu'il a prise; celle dont il disait qu'elle lui tissait des dimanches à force de caresses exquises; celle dont les yeux, prétendait-il, le regardaient pareil à des paradis sans fond où il souhaitait se perdre...

Non, il m'a leurrée, comme les autres avant lui. Alors, en s'éveillant, il a perçu mon petit corps noir, ma tête ronde et polie comme de l'onyx, mes huit pattes anguleuses, frêles, velues.

Et il a fui. Comme les autres avant lui. Il fuit encore. Mais je ne le regarde plus: il est déjà redevenu quelconque à mon esprit.

D'ennui, je me suis remise à ourdir méticuleusement une autre toile. Le prochain qui s'y prendra m'aimera peut-être assez pour accomplir une métamorphose durable, pour faire de moi une femme, une vraie, toujours.

La visiteuse

Quand elle m'apparut, je fis d'abord semblant de ne pas la voir. Une angoisse puérile m'avait subitement envahi comme si à lever les yeux vers elle je serais entraîné dans une chute sans fin. Je fis un pas de côté pour faire face à mon interlocuteur dont les paroles, maintenant, ne me parvenaient plus que par bribes indistinctes. Par-dessus son épaule, j'apercevais discrètement dans la glace la silhouette frêle de la femme qui errait, désœuvrée, parmi les invités. Elle promenait sur les êtres un regard las, empreint d'un peu de condescendance, comme si sa présence au milieu des gens eût été le fruit d'un devoir inévitable sans lequel elle aurait employé son temps à des activités plus exaltantes.

Comme je détaillais ainsi sans qu'elle le sût son profil classique depuis le front haut et la tempe nacrée jusqu'à la ligne pure du cou qu'envahissait une abondante chevelure, elle se retourna brusquement. Nos regards se croisèrent et restèrent longtemps accrochés l'un à l'autre dans une étrange lutte d'où, je le pressentais, je sortirais vaincu.

Dans un mouvement fluide qui avait fait onduler

sa robe blanche, la femme avait quitté la pièce et pénétré dans un petit salon étroit au plafond constitué de trois voûtes ornées de fresques délavées. Je ne la vis pas en sortir pour atteindre le grand hall et l'escalier de marbre qui menait au parc, mais je quittai précipitamment mon compagnon et me dirigeai vers la porte-fenêtre ouverte sur une terrasse postée juste au-dessus de l'endroit où elle allait logiquement apparaître.

Comme je m'appuyais à la balustrade, j'entendis une remarque dédaigneuse lancée par une mégère outrageusement fardée et pulpeuse, et qui devait, du moins je le crus, lui être adressée:

— Quelle jolie robe! Et comme elle vous avantage!

Cette monstruosité n'obtint aucune réponse. Je vis la visiteuse poursuivre son chemin jusqu'à un lac artificiel où flottaient quelques lis d'eau et au milieu duquel se dressait, sur un îlot, un pavillon de thé qui, retenant un peu de fraîcheur, invitait au recueillement.

Elle sembla hésiter pendant quelques secondes puis s'engagea sur le petit pont en dos d'âne qui menait à l'abri.

Elle avançait sans se presser, légère, presque aérienne dans sa robe d'été contre laquelle, élancées, de sombres quenouilles jetaient leur ombre. Quand elle atteignit le pavillon, elle s'approcha de l'une des ouvertures en ogive pratiquées dans la paroi et demeura là, me faisant face, pendant de longues minutes. Malgré la distance, j'eus la certitude qu'elle me regardait.

De la terrasse, un escalier dont les rampes se

terminaient par deux lions debout menait directement au parc. Je n'eus donc pas à revenir dans la villa bondée de gens un peu disparates — diplomates, peintres, starlettes et autres m'as-tu-vu — rassemblés pour honorer un quelconque écrivain au terme de son séjour et cette faune, du reste, m'était indifférente. Depuis les marches, il me semblait que la femme m'observait, puis tournait peu à peu la tête au fur et à mesure que je me déplaçais, jusqu'à ce que, maintenant engagé dans l'allée qui menait au lac, je fusse complètement disparu à sa vue.

A mon tour je franchis le pont en courbe et pénétrai dans la rotonde dont le toit de tuiles rousses, dans le crépuscule naissant, luisait comme du cuivre.

Elle ne bougea pas, mais continua de regarder devant elle en me tournant le dos, de telle sorte que je me demandai si j'avais mal interprété son immobilité de tout à l'heure, si c'était bien moi qu'elle avait ainsi fixé, ou un point connu d'elle seule, au-delà de moi, comme elle faisait sans doute maintenant.

Je m'assis sur un petit banc de pierre d'où je pouvais l'observer de dos. De cette distance respectueuse je puis, me dis-je, m'attarder sur la chevelure interminable et lourde, semblable à une vague unique et sombre

elle tressaille

comme la mer à minuit, au long de falaises escarpées qui s'enfoncent dans l'eau à des profondeurs insondables;

son bras droit se soulève doucement — apparaît une main effilée dont les doigts vont se perdre dans son cou sous le rideau tendre des cheveux

62

j'allume une cigarette en cherchant une formule qui me permette d'engager la conversation d'une façon dégagée,

elle se retourne — elle met une éternité à se retourner — la lumière oblique du soleil qui se couche frappe ses yeux — ils deviennent des rivières — sa robe mouillée lui colle à la peau pourtant il ne pleut pas — non — elle a de l'eau jusqu'à la cuisse peut-être ou peut-être pleuvait-il avant qu'elle n'arrive — il n'y a pas de rivière pas vraiment

puis je me hasarde à toussoter pour attirer son attention, mais faiblement, sentant que le moindre bruit peut rompre le sortilège de notre présence ici, nous obliger, dans l'embarras, à rejoindre les autres;

elle est nue sous sa robe — l'étoffe légère enveloppe les seins et moule les hanches généreuses   sur le mat de la peau se détache un triangle — sombre forêt profonde qui bouge — elle bouge   elle s'avance maintenant d'un pas   d'un deuxième   puis d'un autre

ma cigarette consumée je la lance du bout des doigts dans l'eau du lac où elle dessine des cercles concentriques qui ne font pas de bruit   ni mes mains que je tords

je tends déjà vers elle   la robe se dilue   disparaît — s'évapore   mes paumes ouvertes frôlent les fleurs si douces si dures des seins offerts je crois qu'elle gémit mais je n'en suis pas sûr

et je ressens une faiblesse étrange comme si une houle lente m'emportait vers le bas et je glisse je glisse comme l'eau claire

je glisse tout au long de la peau rutilante que le cré-

puscule doré vient lécher à coups de langue ou est-ce moi qui
cueille ainsi sur son ventre les gouttes d'eau tiède

pendant qu'elle dit des mots que je ne comprends
pas   ils viennent de loin   de très loin   du plus
profond de mes désirs

des hanches qui font un mouvement circulaire   au
bout d'un moment c'est bien mon nom qu'elle prononce là
tandis que ses genoux fléchissent et que son ventre bat
vient un temps où la femme s'apaise   voici qu'elle se déta-
che de moi   c'est elle qui me frôle la tempe au passage mais
je reste à genoux bras ballants   l'ombre lentement se
pose sur

des eaux plus noires qu'un regard de femme   le lac
confond ses berges avec les hauts cyprès du parc
à mes pieds la cendre tombée dessine une tache terne
sur le sol   devant moi dos tourné la femme fixe
encore au loin   quelque chose   je m'assois sur le
petit banc de pierre   chevelure interminable et lourde semblable à

des eaux qui tressaillent   elle tressaille   comme

la vague à minuit   tout recommence   au long de
falaises escarpées qui s'enfoncent dans l'eau à des
profondeurs insondables

elle se retourne   éternité à se retourner

quand j'allume une cigarette

le soleil se couche   frappe sa robe

faiblement

disparaît   le sombre triangle qui bouge elle bouge

et glisse   je glisse

64

la peau rutilante houle lente cueille *les gouttes*
d'eau tiède

mais je ne comprends pas mes désirs

*ses hanches fléchissent un moment la femme se dé-
tache me frôle la tempe*

le lac noir confond la cendre terne devant moi

quelque chose

la sombre

chevelure interminable

vague

unique

à minuit

tressaille

au long de

tout

recommence

« Elle passait
sur le pont de Tolède,
en corset noir »

(Victor Hugo)

D'abord, il faudrait dire qu'en passant sur le pont de Tolède elle n'avait ni la démarche lourde des unes qui claquent des talons sur les pavés, ni celle — baroque — des autres dont la croupe accuse un mouvement excentrique de balancier et porte toute leur personne de-ci de-là avec élan comme si cette ample oscillation fût essentielle à leur équilibre. Non plus ne gardait-elle le front bas ainsi qu'en ont l'habitude les nourrices, sûres qu'à pencher intensément leur regard sur eux leurs seins n'allaient pas se tarir. Elle avançait plutôt sans apparence de motion, d'un pas léger, aérien presque, et qui se fût penché pour voir si elle touchait terre y eût sans doute trouvé matière à réflexion. Au reste, tout, en elle, paraissait attiré vers le haut. Même ce cou grêle et filiforme qui s'échappait des épaules en ondulant rappelait — non, c'était plutôt une sorte de longue vibration — rappelait, dis-je, un filet d'étamine au sommet duquel restait miraculeusement accrochée une anthère minuscule, disproportionnée, qu'elle tenait comme une tête, bien haut et bien droit, de crainte que la moindre secousse ne la fît basculer.

A bien y penser, elle se rapprochait finalement assez peu de la fleur monandre: dans le corset qui la sanglait jusqu'à réduire sa taille à une circonférence démesurément étroite, elle se composait de deux sections distinctes séparées par un étranglement. D'autant que sa jupe tombait tel un fuseau sur ses longues jambes comme pour les engainer et que, sur sa tête, les cheveux lisses tirés sur les tempes lui dessinaient un crâne humide, sombre, qu'on eût dit recouvert d'une peau d'olive mûre ou de quelque autre fruit noir, huileux et glabre.

En outre, le tissu dans lequel avait été taillé son vêtement recevait sans aucune pudeur la lumière oblique de fin d'après-midi tandis que celle-ci se plaquait à lui, s'y frottait et le gavait d'un chatoiement continu fait de minces stries pâles, de telle sorte que la femme semblait animée en permanence d'une luminescence bizarre aux yeux de quiconque interrompait sa promenade pour la regarder.

A ce point, il conviendrait de dire que l'homme endormi tout à l'heure sur la rive du Tage venait de s'éveiller. Qu'il eût avec lui une carabine sur laquelle reposait sa tête, l'histoire le dit, mais rien ne le prouve, et l'on peut supposer que la légende ment, car il se leva et marcha vers la femme sans rien laisser derrière et sans rien emporter.

Il s'en trouve pour raconter que, sur le pont, la femme prit alors une attitude inquiète, s'arrêtant et demeurant là, comme en suspens, pendant une seconde, avec la mine de celles qui pressentent l'imminence d'un dénouement longtemps espéré. On aurait vu, à en croire les uns, sa tête bouger très perceptiblement vers l'avant avec un léger mouvement de rotation comme si elle eût été surmontée d'antennes invisibles à l'œil nu qui fouissaient l'air à la recherche d'un mystérieux indice. A en croire d'autres, quelque chose frémit sous le corset entre sa nuque et ses reins, et ceux-là n'hésitent pas à affirmer qu'elle tentait ainsi de desserrer sans les toucher les liens qui l'entravaient. Mais les dires les plus troublants proviennent de ceux qui l'observaient de loin, ceux qui, d'une rive distante la virent se tendre, s'étirer de telle sorte que le parapet qui cachait auparavant la femme de la taille au-dessous ne la marquait plus qu'à la hauteur des cuisses. Ils jurent encore, bien des années après, qu'en allongeant ainsi le buste vers le haut elle semblait sur le point de prendre son envol.

Tout cela se passait pendant que l'homme, en proie à une émotion très vive, s'essoufflait à crier qu'auprès d'elle les reines de Castille, même la plus belle, eussent paru laides et ternes et qu'il n'aurait de joie plus grande que de l'admirer nue, au bain, dans une vasque emplie de lait.

Elle, cependant, trop noble pour se montrer friande, simula la surdité, mais il n'en demeure pas moins que ces propos l'émurent, car elle se dressa un peu plus en cambrant ses reins étroits.

Alors, il faudrait dire ceci: l'homme l'avait rejointe et s'était agenouillé devant elle. De la femme se détachèrent aussitôt des bras qu'on s'étonna de n'avoir encore remarqués et qui surprirent par leur gracilité et le poil sombre dont ils étaient couverts. Plus déliés que des fils d'un noir d'encre ils encerclèrent l'homme sous les épaules, mais délicatement, et le soulevèrent.

Il se produisit à ce moment-là une chose unique. Le corset de la belle se fendit dans son dos en faisant un bruit de verre qui casse. Deux ailes diaphanes marquées de veinules bleues apparurent. Elle les ouvrit et, retenant contre elle son amoureuse proie, la femme s'envola bien haut, tournoya un moment au-dessus de Tolède et prit rapidement la direction du sud.

Bethsabée

Urie parti à la guerre, j'ai gravé un pentagramme
sur une bougie blanche. Puis, mon nom: Bethsabée.

Ensuite, sur une bougie bleue, j'ai inscrit son
nom à lui: David.

Enfin, pour que le pouvoir me soit conféré, j'ai
dressé, avec les deux premières, cinq bougies rouges
sur l'autel.

Dans une petite bouteille d'albâtre, j'ai pris une
huile parfumée dont j'ai versé une goutte sur chacune des bougies placées à distance rituelle l'une de
l'autre et dans un ordre préétabli. Devant la septième, au milieu, j'ai déposé une fleur blanche fraîche-
ment cueillie. Au nom d'Arida, j'ai répandu en pluie
de l'eau sacrée sur tout cet ensemble et fait brûler
un encens composé de poudre d'aloès, de graines
de pavot, de pétales de roses et d'autres ingrédients.

Sur la bougie du centre, comme les autres se consumaient, j'ai inscrit le mot « amour » avec la pointe d'un stilet.

Je ne répéterai pas ici l'incantation, ni n'indiquerai le rythme auquel elle doit être chantée: il est, malgré tout, des secrets que l'on garde. Mais je dirai qu'il faut que les bougies restent allumées le temps que prend la lune pour passer du haut de cette tour, là, aux premières branches de l'olivier qui pousse un peu plus loin.

J'ai donc ouvert les bras, largement, comme des cornes, et prié. Après quoi j'ai soufflé toutes les flammes, à l'exception de celle qui brûlait au milieu. J'ai bu le vin sacrificiel en l'honneur de la déesse, par toutes petites gorgées, jusqu'à ce que s'éteigne de lui-même le dernier feu.

Et ainsi de suite pendant sept nuits, aux premières heures. Chaque fois, j'approchais un peu plus les bougies de celle, neuve, qui se consumait au milieu des autres. Chaque fois, je reprenais l'incantation. Chaque fois, je buvais le vin.

Chaque fois, Arida m'écoutait.

Au septième jour, j'ai laissé toutes les bougies s'éteindre lentement sans les souffler. Puis j'ai détruit, dans un feu ultime, la fleur, le calice, tout ce qui avait servi à me rendre l'homme que j'aimais.

A quelque temps de là, Urie mort, David — dont j'attendais le fils — me fit appeler une seconde fois auprès de lui.

Je dis ceci pour rétablir les faits. Les livres prétendent que David a agi de son propre chef et, depuis des siècles, l'erreur se perpétue. Moi, aujourd'hui, je vous assure qu'il n'y était pour rien.

L'oie impériale
de Li Ming-Tchou

à J.-P. P.

Le sixième jour de la troisième lune, Li Ming-Tchou, noble et lettré, contemplait le soleil levant depuis le Pavillon-des-Délices-des-Eaux, ainsi nommé pour la beauté du paysage qu'embrassaient ses fenêtres à vastes treillis. Un printemps précoce avait permis qu'on retirât des bambous leurs papiers huilés, laissant ainsi pénétrer la brise fraîche du lac chargée d'un parfum subtil cueilli au passage et fait de jasmin, d'orchis et de vanille. Invoquées par l'humidité propre aux aurores lacustres, quelques effluves d'aloès s'extirpaient des charpentes pour imprégner l'air à leur tour. Blanche, une nappe de brume présentait, comme les lampes d'albâtre au lent balancement dont s'illumine la ville pendant les grandes fêtes, ses reflets rosacés. Elle se détachait de l'eau avec maîtrise, presque avec calcul, enveloppant dans son itinéraire les collines en bordure et laissant entrevoir à la faveur d'un rai timide de lumière un monastère, un temple, une statue. Quelque oisillon téméraire et sans doute étonné par ses premiers matins risquait parfois un pépiement discret aussitôt contenu pendant que d'oblongs radeaux de bambou portant chacun un homme et un cormoran dressé glissaient sur l'eau dans un silence presque total, paresseux et sombre cortège dont la ligne oscillait quand la marquait à intervalles le va-et-vient des longues perches faisant office de rames sur lesquelles, debout, s'appuyaient les pêcheurs.

Affinant son ouvrage, la brume lessiva feuilles et herbes et sur ce fond gris jade s'allumèrent çà et là des toitures émaillées en imitant des brocarts verts. Quand elle s'en fut, un ciel continûment pâle la vint remplacer pour prolonger les collines moussues que saignaient maintenant par endroits les ailes rouges d'un cerf-volant ou le pourprin d'une coupole. L'air pénétré d'odeurs végétales s'épaississait comme dans ces temples où brûlent en permanence des résines et du nard. Sentant la gravité de l'heure mieux qu'avant un orage ou un raz-de-marée, les nichées audacieuses se turent tout à fait. Ainsi, tant que ne furent pas groupés en cercle les radeaux, il y eut du silence. Mais dès l'instant où, libérés, les cormorans plongèrent pour ramener de pleins jabots de poissons, le matin jeune s'emplit de leurs battements d'ailes.

A ce signe plus qu'à tout autre Li Ming-Tchou jugea que le jour était né.

Obéissant aux prescriptions d'un mystérieux cérémonial une servante pénétra dans le Pavillon-des-Délices-des-Eaux au moment précis où le soleil en baignait les tables laquées. Sur l'une d'elles, lumineuse, elle disposa symétriquement tasse et théière peintes, baguettes en ivoire incrustées d'argent, puis un plateau où chatoyaient quelques fruits confits, deux ou trois rissoles de cocons de vers à soie et des dattes de Perse. Lorsqu'elle s'inclina pour offrir à Li Ming-Tchou la tasse dans laquelle, odorant, fumait un thé choisi, il remarqua les rubans colorés dont elle égayait sa chevelure et se réjouit de ce que la parure et l'ornement préoccupaient également maîtres et domesticité. « Ainsi, songeait-il tandis qu'elle regagnait ses quartiers, première épouse et concubines, brodeuses, préposées aux thés, aux cuisines ou aux calligraphies, toutes, chez moi, me ravissent et m'enchantent. »

Li Ming-Tchou buvait son thé par petites gorgées, retenant chacune sous la langue pendant quelques secondes pour en extraire le suc et s'en délecter avant de replacer sans hâte la tasse blanche et bleue sur la table polie, avec un sourire satisfait. En grignotant douceurs et beignets, il se félicitait d'avoir parmi ses sœurs une beauté friande favorite de l'Empereur, car l'honneur ainsi échu à la benjamine l'élevait lui-même au rang de noble et il se complaisait à présent dans tous les luxes et raffinements que lui procurait cette inappréciable faveur. Sans fonction officielle, sans charge ni mandarinat, il pouvait consacrer tout son temps aux arts, aux lettres, aux plaisirs tant des sens que de l'esprit et en explorer toujours avec ferveur les multiples et voluptueux arcanes. Allant quotidiennement de bien-être en délectation savamment dosés il s'assurait, selon le moment ou l'heure, des ravissements variés qui ne laissaient en friche aucune de ses faiblesses, aucune de ses passions.

Tel souci de jouissance avait présidé à l'élaboration du plan de sa demeure: un pavillon réservait à

Li Ming-Tchou de fabuleuses aurores; un second des ponants impétueux comme des torches; dans un troisième où, suspendues, des œuvres de peintres renommés l'incitaient à la perfection, il s'astreignait à l'étude des caractères et à la calligraphie, copiant et recopiant sans trêve les traits, les arcs et les saillies, ou bien il composait avec art des stances qui observaient rigoureusement les normes poétiques en s'inspirant de la flore, des solstices ou d'humaines passions; dans un autre encore il réunissait musiciens ou jongleurs, montreurs de fourmis savantes ou poseurs de devinettes qu'il défiait d'un œil tors en lissant ses longues moustaches déliées.

Li Ming-Tchou songeait à tout cela, mains croisées enfoncées dans la large échancrure de ses manches et s'appuyant à travers la soie sur l'attache d'une coûteuse ceinture dont le motif — paons accouplés en amoureux ébats — avait été libéré par d'habiles doigts quelconques d'une corne de rhinocéros achetée au Bengale. Témoin tangible des richesses acquises, la ceinture retenait sur ses hanches la robe du lettré qui regardait maintenant s'étendre par-delà les travées les jardins disposés en un plaisant désordre.

Li Ming-Tchou savoura encore une ou deux dattes, but une dernière gorgée de thé et se frictionna soigneusement les gencives avec un mouchoir qu'il replaça ensuite dans la bourse pendue à sa ceinture. Il repoussa du doigt une miette tombée sur sa chaussure, adressa quelques cajoleries aux criquets prisonniers dans leur cage qui stridulaient en direction du lac, pour descendre enfin les degrés le séparant de la première pièce d'eau. Là, dégarnis ou huppés, glabres ou moustachus, des poissons (certains fendaient l'eau de leur longue queue plate divisée comme des basques et d'autres infléchissaient jusqu'à les joindre les pointes effilées de leurs appendices jumeaux) opposaient aux nymphéas répartis en flottille l'iris éblouissant de leurs flancs polychromes. Accroupi entre de curieuses pierres hérissées bordant l'étang tel un cirque de pieux, un batracien émettait un son rauque qui, se répercutant contre les parois rocheuses, paraissait provenir de quelque sombre cañon. Li Ming-Tchou s'assura que les parfums brûlaient bien dans leurs niches et qu'ils accrochaient aux crêtes miniatures des nuages vaporeux fleurant le santal, puis il poursuivit sa promenade jusqu'à un tertre où, tourmentés, des arbres nains allongeaient leurs branches noueuses vers le sentier qui volontairement les jouxtait. A quelques pas de l'un d'eux — pin pignon étalant ses lourdes ailes bleues comme un oiseau agonisant — un domestique avait, pour attirer les papillons, semé quelques fleurs rares et l'on voyait souvent uranies et vanesses abreuver de lumière leurs ailes poudreuses quand le soleil en épousait les multiples couleurs.

Le noble allait d'un pas tranquille dans cet univers réduit, s'arrêtant parfois au détour du chemin ou sur un ponceau en arc-en-ciel pour admirer ici une cascatelle flanquée de jujubiers que reniflaient des faons aux longues pattes grêles, là, une grappe de faisans bavards, ailleurs encore d'étranges pierres érodées où luisaient des insectes, toutes choses qui faisaient naître en lui des pensées intenses sur la nature, sa permanence, sa perfection et, partant, sur la vulnérabilité humaine et ses propres faiblesses. Tous les matins, par beau temps, il se perdait en saines méditations au fil d'un parcours mille fois répété fait de creux, d'éminences, de clairs et d'obscurs qui recréaient les complexes dédales de l'âme et tenaient lieu de décanteurs.

Ce matin-là ne différa point des autres: Li Ming-Tchou parcourut ses jardins en tous sens, retraçant plusieurs fois ses pas tandis que le soleil montait et jetait sur un même lieu une lumière toujours changeante qui éveillait chez lui des émotions en éventail, ouvertes, fermées, chevauchantes ou tendues selon l'heure, l'angle ou le galbe des ombres. Parfois, il inclinait la tête et fronçait les sourcils quand une enfilade de questions sans réponse le tenaillaient ou qu'il se sentait habité par une vague angoisse. Plus souvent il souriait à demi, pour lui-même, comme un qui croirait détenir enfin la clé de toutes les énigmes. Toujours il se taisait, quoi qu'on dise de ce matin où une brodeuse, occupée à couvrir de dorures un vêtement de fête, déclara avoir sursauté à la voix du maître saisi, assurait-elle, d'un rire convulsif. Le moment du jour, voué au recueillement, se prêtant mal à semblables excès, on crut à une plaisanterie; mais devant l'insistance de la femme on prétendit que le maître avait témoigné là du solde d'anciens comptes avec un dieu ennemi. Li Ming-Tchou ne démentit jamais la rumeur et son silence donne à penser qu'il a pu, en vérité, s'emporter et ternir une extase jusque-là sans souillure.

Murailles et cours d'accès isolaient des rumeurs le domaine de Li Ming-Tchou. Ainsi, les marchands à la voix aiguë ou les moines crieurs annonçant le temps qu'il fait et la prochaine audience impériale ne vinrent pas troubler, dans les jardins du fortuné, sa matinée d'anachorète. Celle-ci se poursuivit en toute quiétude jusque vers les midi escortée seulement par les murmures continus des cascades ou le bourdonnement produit par un essaim d'abeilles survolant çà et là, sous les girofliers nains, de belles fleurs safran réunies en flocons. Jugeant alors le moment propice, Li Ming-Tchou fit résonner un gong de bronze et ordonna à son valet ainsi mandé qu'il lui procure un couvre-chef et réunisse les porteurs.

Dans une chaise en laque noire soutenue par deux hommes, il longea l'un après l'autre les pavillons, puis d'enceinte en enceinte rejoignit l'entrée flanquée comme il se doit par des génies peints sur l'ébène du chambranle. D'au-delà l'écran protecteur dressé tel un écu à quelques pas devant l'ample embrasure montaient déjà des odeurs de friture et de porcs égorgés, arômes de potages et relents d'égout auxquels se mêlaient les protestations des jars, pintades et faisandeaux vendus à la criée, chamailleries d'enfants et d'eunuques, appels stridents des colporteurs de thé et ·marchands d'eau chaude, toutes ces clameurs puantes, ces pulsations de cloaques, de bas quartiers qu'infestent aussi racaille et soldatesque et où des prostituées aux ongles écarlates négocient des transports en exaltant leurs formes flexueuses ou leur sombre chevelure huilée.

Avide de contrastes, Li Ming-Tchou avait délibérément choisi d'accoler son domaine d'un flanc à ces bruyants faubourgs et de l'autre au lac serein et pacifique où la ville pourtant contiguë demeurait invisible. Quand ses affaires l'amenaient à sillonner ces venelles sombres bordées de maisons hautes où grouillaient des colonies compactes de marmots comme autant de fourmis, il oubliait un temps ses titres de noblesse et s'arrêtait parfois, comme maintenant, pour acquérir contre quelques sapèques un morceau d'intestin frit. En mastiquant ce plébéien délice il songeait à sa jeunesse infortunée quand il tenait boutique dans la ruelle des Marchands de Crabes jusqu'au jour où sa jeune sœur, remarquée pour sa grâce, fut conduite au gynécée de l'Empereur qui, en faveur de si haute cession, couvrit Li Ming-Tchou et les siens de privilèges, de richesses et d'honneurs.

La capitale, ce jour-là, relevait d'une longue fête dont elle exhibait les reliefs comme une armée victorieuse arbore ses sanglants étendards et ses grandes masses de butin parmi lesquelles oscillent des épées nues fichées en terre et des cadavres de guerriers plantés sur des piquets.

Des végétaux fanés tombés des linteaux où on les avait attachés jonchaient les seuils, d'autres y restaient accrochés et se balançaient d'accord avec la brise; ailleurs, c'étaient des rubans ou des banderoles déchirées qui pendaient des toitures; quelques lampes brisées faisaient en s'écrasant au sol un bruit de cristal clair quand les enfants les bombardaient avec des pierres; des jarres d'alcool éventrées gisaient au milieu des ordures, épluchures de fruits et arêtes de poissons; quelqu'un près des abattoirs s'agenouillait encore pour vomir et s'essuyait la bouche avec une bande moletière abandonnée dans le caniveau par une suivante impudique; des marionnettistes, malgré le bruit, dormaient avec leurs poupées colorées sous un tréteau tandis qu'agonisait dessus un dragon en osier tout habillé d'étoffes; près des embarcadères les bateaux loués la veille penchaient leurs coques pleines de cigales en papier, restes de pâtés de mouton, gâteaux, fêtards et rameurs affaissés sous les lanternes éteintes et les perches; on entendait parfois les vidangeurs s'interpeller en comblant d'immondices des baquets carrés qu'ils portaient ensuite à dos d'homme vers les trains de bateaux; pendant ce temps, on vendait déjà du riz sur les étals; les cabarets affichaient leur menu et le prix des chanteuses; quelques clients s'attroupaient devant les établissements de bains pour acheter un sachet d'herbes médicinales ou débattre le coût d'un massage. La ville entière éclatait en rumeurs et croulait sous une populace barbouillée qui s'affairait en mâchant des lamelles de gingembre; une autre foule, molle celle-là et chancelant un peu sous l'effet persistant de violents alcools, s'écartait parfois devant la chaise du lettré, mais plus souvent la heurtait de l'épaule ou du coude et Li Ming-Tchou, sous son dais en soie qui retenait des franges et des houppes turquoise, se laissait ballotter au gré des bousculades en appuyant sur la portière basse une main dodue abondamment baguée.

Au détour d'une ruelle, le porteur avant donna contre un enfant tenant en équilibre sur ses épaules un fléau aux assiettes combles de cerises. Les panérées de billes charnues se renversèrent; partout en s'écrasant les fruits fendirent leur peau lisse et laissèrent échapper une chair sanglante qui tachait les dalles de la rue. L'un d'eux vola sur les genoux du noble; il y mordit puis cracha le noyau dont les petits rebonds, sur la chaussée, firent une suite de bruits secs. L'enfant pendant ce temps vociférait, et magnifiait ses pertes à force d'injures; bientôt il se laissa gagner par un sanglot. Li Ming-Tchou lui ayant lancé pour le faire taire deux ou trois sapèques, il se rua parmi les cerises éclatées, y promenant ses mains jusqu'à les en rougir.

Le noble signifia qu'il voulait avancer: les porteurs reprirent à ployer sous le faix de la chaise en délaissant l'enfant agenouillé et qui pleurait encore un peu en ramassant de l'or.

En temps normal, Li Ming-Tchou eût jugé suffisant ce bain de foule et, rebroussant chemin, eût regagné ses jardins paisibles où bruits et couleurs avaient été plus harmonieusement orchestrés. Il n'eût pas poursuivi sa route jusqu'aux limites de la capitale ni franchi les remparts à la Porte du Nord pour s'engager ensuite dans le chemin en pente légère bordé d'amandiers, qui débouchait, au sommet d'une colline dont l'adret regardait la ville, sur la luxueuse demeure de Kwei Seu.

La courtisane ne l'accueillit pas elle-même. Sa réputation lui permettait de dépêcher à la rencontre du lettré une escorte d'eunuques et de servantes qui le guidèrent, au long de tortueux sentiers traversés parfois par un tisserin safran à tête rouge — cadeau d'un Africain — ou une poule sultane, jusqu'au Pavillon-des-Multiples-Ravissements. Là, parmi ors et coussins, Kwei Seu attendait son honorable habitué en parfumant ses tempes et en vérifiant dans un miroir cuivré la perfection de sa parure.

L'après-midi déjà amorcé accrochait sa lumière aux brocarts qui tapissaient le sol et embrasait les rouleaux suspendus où l'on pouvait apercevoir une branche fleurie de prunier, quelques pivoines, deux tiges de bambou et un profil de fauve. Dans les reflets mordorés qui baignaient le kiosque, le visage de Kwei Seu prenait une nuance de pêche et les perles dont elle s'ornait se reflétaient avec douceur sur la peau satinée. Ses lèvres brillaient, écarlates. Du bout d'un doigt à l'ongle longuement incurvé elle fit signe à Li Ming-Tchou qui prit place non loin d'elle.

On apporta alors des bouchées de canard, des alcools, du riz et des amandes puis, dans une coupe où il but avidement, on présenta à Li Ming-Tchou de la corne d'antilope broyée et infusée avec un thé parfumé au genièvre, décoction reconnue pour exalter la vigueur. Dès le début du repas, des musiciennes avaient accordé leurs cithares et en jouaient en sourdine sans déranger le dialogue où Li Ming-Tchou et Kwei Seu se complaisaient. Cette dernière entretenait son hôte de littérature, le régalait avec ses connaissances, parfois même elle récitait un poème de son cru auquel il reconnaissait de belles qualités. Ensuite, ils échangeaient des bavardages de cour, parlaient aussi de la mode et d'autres futilités. De temps en temps, sans faire dévier la conversation, Kwei Seu détachait un bouton de la robe du lettré. Plus tard, comme il croquait une amande, ce fut sa lourde ceinture qu'elle fit tomber sur les coussins avec un bruit mou. Enfin, quand on vint desservir, Li Ming-Tchou écarta lui-même en les retenant les pans de son vêtement pour qu'on déroule la bande d'étoffe lui servant de dessous tandis qu'un eunuque se penchait pour retirer chaussures et bas brodés afin qu'il fût complètement à l'aise.

Kwei Seu, au contraire, restait entièrement vêtue.

La musique dès alors se fit plus présente. Deux artistes vinrent se mêler au groupe déjà formé. La première entonnait, avec une voix limpide et un peu nasillarde, une chanson d'amour courtois en inclinant de-ci de-là sa taille tandis que ses bras, portés par le roulis, tintaient de tous leurs bracelets. La seconde, pour l'heure, demeurait à l'écart, maniant un petit éventail rond qui cachait à moitié son visage. Il lui arrivait aussi de ricaner avec malice lorsque Kwei Seu faisait glisser ses ongles sur la cuisse de Li Ming-Tchou en souriant devant l'effet produit. Le noble, s'appuyant du coude, portait sa tête vers Kwei Seu pour mordiller son sein à travers la soie qui se marquait ainsi de taches humides.

Son premier air conclu, la chanteuse en reprenait un second dont le texte coloré décrivait des passions moins subtiles et, cette fois, la courtisane à
l'éventail s'avança en dansant, en ondulant à intervalles avec quelque chose de reptilien dans la démarche. De temps à autre sa hanche pulpeuse effleu-
rait Li Ming-Tchou au genou et lui, aiguillonné, respirait déjà un peu plus fort. Kwei Seu dit quelques
mots en aparté à la danseuse: elle s'éclipsa, docile,
en remuant indécemment la croupe. Sitôt après,
une enfant impubère apportait dans une buire un
peu d'huile tiédie qu'elle répandit par minces filets
odorants sur le corps du noble dont le vêtement,
d'ailleurs, s'en macula un peu à la bordure — mais
nul ne s'en soucia. L'enfant, encouragée par Kwei
Seu qui bissait aussi la chanteuse, s'employait à mas-
ser Li Ming-Tchou depuis le cou jusqu'aux chevilles.
Avec méthode et lenteur, elle parcourait plis et res-
sauts tandis que le lettré, du bout de son pied dénu-
dé, lui adressait quelques câlineries. Précocement
experte, elle invitait les flatteries du client par des
paroles choisies et gouvernait ses transports sans la
moindre réserve. Dans tout le Pavillon-des-Multiples-Ravissements flottait un parfum de musc et de
jasmin auquel se confondaient des soupirs mesurés.
Kwei Seu renvoya la pucelle à des jeux plus inno-
cents puis, se penchant vers Li Ming-Tchou, n'offrit
plus à son regard que le balancement régulier des
peignes et ornements de tête. Pendant ce temps, la
danseuse revenue portait aux lèvres du lettré pour
qu'il s'en délecte les fruits ambrés de son corsage
ouvert. Quand il fut temps, on demanda que cesse
la musique: des gouttes de sueur perlaient au front
de Li Ming-Tchou et sur ses tempes saillaient des
veines bleuâtres où le sang, affolé, battait la diane.
Il y eut un répit pendant lequel on entendit seule-

ment le bruit du vent dans les treillis et Li Ming-Tchou marmonnant étendu des choses indicibles, les yeux rivés sur le cortège qui entrait.

Deux eunuques portant un lourd vaisseau de bronze monté sur un trépied vinrent déposer leur fardeau devant le noble. Un troisième les suivait qui tenait à deux mains un couperet d'airain. Deux autres, les derniers, soutenaient une oie dodue et blanche dont les ailes étaient maintenues au corps par un étroit manchon d'ivoire. Li Ming-Tchou se leva, attendit qu'on fût à sa hauteur. Puis, s'appuyant aux épaules des porteurs, il approcha l'oiseau jusqu'à s'y réunir et que la masse rebondie et plumeuse s'accole à son ventre huilé tandis que le bourreau — comme elle allait crier — fermait sa main sur le bec de la bête. Kwei Seu détaillait à part soi les agréments de l'éphémère alliance en mignotant distraitement ses bagues et ses colliers; les musiciennes choisirent un air s'accordant en cadence aux geignements du noble dont le plaisir si vivement exaspéré semblait près d'atteindre son dernier période. L'eunuque au couperet guettait le dénouement et, tendant le cou de l'oie, il souleva son arme. Au moment où Li Ming-Tchou exhala son premier râle en enfonçant ses ongles dans la chair des porteurs, l'exécuteur abattit la lame: la tête de l'oiseau tomba dans le vaisseau et fut aussitôt noyée sous une giclée puissante de sang. En même temps, l'animal décapité s'anima de violents spasmes qui amplifièrent l'extase du lettré et lui arrachèrent une plainte incoercible, une grognerie prolongée qui s'acheva dans un halètement tandis qu'il pliait les genoux et se laissait glisser sur les coussins, sa robe trempée par la sueur adhérant, transparente, aux muscles scapulaires.

On remportait déjà la sacrifiée. Les musiciennes

se turent et s'éloignèrent. Kwei Seu s'étira longuement comme une chatte heureuse en regardant par-
delà les treillis le ciel qui rosissait un peu. Des engou-
levents sentant venir le crépuscule percèrent l'azur
en y lançant leurs cris âpres et graves. Un rossignol,
sans doute perché sur une tuile cornière, s'adonna
à un chant compliqué. Kwei Seu laissa tremper ses
doigts dans une vasque placée près d'elle où na-
geaient des nénuphars sur leurs grandes feuilles ar-
rondies pendant que Li Ming-Tchou reprenait son
souffle en lissant doucement de la paume sa poitrine fatiguée. Tout, ainsi, demeura longtemps engour-
di, coulé dans une torpeur béate qui se prolongea
jusqu'à la nuit tombée quand une domestique, glissant sur les brocarts plus silencieusement qu'une
jonque sur l'eau, vint apporter des lampes et le
cahiers des comptes.

— Demain, dit Li Ming-Tchou d'une voix lasse,
je te ferai porter deux ligatures de mille sapèques,
quatre rouleaux de soie et une boucle de ceinture.

Kwei Seu inscrivit les chiffres.

Puis les eunuques d'avant reparurent, exhibant
à la tête de ce second convoi l'oie maintenant fumante
et bien dorée, dressée sur une assiette de porcelaine
où l'encerclaient mirabelles et châtaignes parfumées,
prêtes à lui mêler leurs sucs. Le couple huma avidement la viande tendre et rendit grâce en silence à ses
dieux: Kwei Seu pour les profits si bellement réalisés,
et Li Ming-Tchou pour les luxurieux raffinements
dont le comblait la courtisane.

Enfin, on infligea à l'oie l'ultime châtiment en
dévorant ses flancs juteux dont la chair doublement
apprêtée avait acquis, il va sans dire, un goût assez
particulier.

Deuxième partie

QUATRE SACRILÈGES EN FORME DE TABLEAUX

« Démonter le mystère pour
s'en servir à froid. »

CESARE PAVESE
Le métier de vivre

Fantaisie sur
Les deux courtisanes
du Carpaccio

— Quelle chaleur! Et quel ennui! Vous n'êtes pas de cet avis?

— Absolument, ma chère. S'il n'y avait ces odeurs nauséabondes qui montent des canaux à chaque été, ce serait à moitié supportable. Quelle idée, aussi, de nous imposer Venise! Ce brave Vittore... passe encore qu'il ait tenu à nous immortaliser, mais n'aurait-il pu trouver endroit plus plaisant?

— Vraiment, vous vous attachez à des détails futiles... Il me semble beaucoup plus grave que nous soyons contraintes, depuis des siècles, à passer nos journées assises sur cette terrasse en compagnie de quelques oiseaux, deux chiens stupides et une espèce de petit gnome qui se prend pour un valet!

— Allons, allons, n'exagérez-vous pas un peu? J'ai bien vu, la nuit dernière, quel délicieux usage vous faisiez de ce gnome, comme vous dites...

— Vous me le reprocheriez? C'est vraiment faute de mieux. Il me serait certes plus agréable, si je dois étouffer sous des couches de peinture, de le faire au sein d'une fresque un peu mieux peuplée que ce maigre petit tableau de chevalet! Je suis certaine qu'Ursule, à l'Académie, ne chôme pas, elle, avec tous les bourgeois dont Vittore l'a si délicatement pourvue!

— Ne soyez pas si envieuse. Ma compagnie vous aura appris des délices autres que vous en procurait celle des papes dont vous recherchiez l'adipeuse attention du temps de notre liberté. Je n'ai d'ailleurs jamais très bien compris votre penchant pour ces amas de lipides.

— Vous m'obligeriez en cessant vos sarcasmes. Contrairement à vous — qui n'êtes pas si osseuse que vous le prétendez — mes papes se montraient généreux.

— Que voudriez-vous que je vous offre, ma belle enfant, que vous ne possédiez déjà? Vittore ne nous a laissé que deux fougères et les bijoux que nous portons. Je ne sais même plus qui se pare du collier de qui, depuis le temps que nous les échangeons. Mais si vous vouliez être gentille… avec moi… ce soir… je vous rendrais votre robe. A vrai dire, elle me serre un peu. La mienne, d'ailleurs, ne vous va vraiment pas. Elle vous fait la poitrine encore plus plate. Si j'étais vous, la prochaine fois qu'on nous restaurera, je demanderais qu'on me peigne un ou deux centimètres de plus…

— Vous ne disiez pas cela au début! Si je me rappelle bien, vous les trouviez plutôt mignons, mes petits seins! « De jolis fruits arrogants qui ne demandent qu'à être mordus! » me répétiez-vous. « Des meringues croquantes! D'irrésistibles friandises! » Vous n'avez vraiment aucune constance et certes pas

Les deux courtisanes, par Vittore Carpaccio,
(Venise, *ca* 1460-1525-6), Venise, Musée Correr.

de mémoire, surtout depuis que ces chiens font vos quatre volontés. Eh bien! ce soir, madame, vous vous passerez de moi. Amusez-vous plutôt avec vos bêtes!

— Mes bêtes ont cet avantage sur vous, ma chère, qu'elles ne craignent pas la fantaisie. Vittore me disait toujours que vous n'aviez aucune imagination érotique et que votre présence l'ennuyait. « Vous devriez retoucher cette scène du plafond, elle s'écaille », lui seriniez-vous toujours pendant qu'il s'évertuait à vous procurer des extases. On se demande comment vous avez pu vivre d'un pareil métier! Et cessez, je vous prie, de vous éventer avec votre mouchoir! L'air est bien assez irrespirable sans qu'encore vous le déplaciez!

— Il vous a dit cela? Ah! le mufle! S'il n'a jamais connu la gloire de ses maîtres, c'est bien fait! Mais, à propos... il me parlait aussi de vous... suis-je sotte de l'avoir oublié! Vous voulez connaître son opinion?

— De grâce! Gardez vos ragots de poissonnière.

— Il vous trouvait hideuse avec votre double menton et votre tête enfoncée dans les épaules...

— C'est de la calomnie!

— ... et déclarait à qui voulait l'entendre que vous donniez l'impression de pâte à pain quand on vous touchait — en quoi il n'avait pas tout à fait tort...

— Vous inventez! Garce!

— ... et qu'on trouverait plus de fermeté à un matelas de plumes, vous m'entendez? Et en outre, en outre, que vous sentiez le rance et la vieille huile!

— Assez!

Elle se leva d'un bond, faisant fi de la loi séculaire qui l'obligeait à garder sa place pendant les heures de visite, et souleva sa compagne avec force pour la projeter par-dessus le parapet.

Les amateurs d'art qui vinrent, le lendemain, admirer le tableau du Carpaccio constatèrent, à leur grand étonnement, que de deux courtisanes il n'en restait plus qu'une et que cette dernière, pour d'obscurs motifs, serrait rageusement les mâchoires.

Fantaisie sur deux portraits de Piero della Francesca

— Mais que faites-vous donc?

— Oh, pardon! Je croyais que vous dormiez.

— Verriez-vous dans le fait que je dorme une raison pour agir de la sorte?

— Duchesse, une femme de votre rigueur ne se chatouille pas à l'état de veille et, pour être franc, bien que mes goûts personnels m'aient autrefois porté sur les bergères légères et les filles de cuisine, la continence involontaire qui est mon triste lot depuis si longtemps m'aura rendu aveugle ou fou, puisque voilà que je vous découvre des charmes cachés, si j'ose dire, et que je ne le déplore pas.

— Moi, si. Vous avez les mains glacées.

— Il faudra déposer une plainte, Madame, et demander qu'on ajuste le chauffage. Ces grandes salles sont plus humides que des quais de gare. Mes doigts sont peut-être gourds, mais vos appas le sont aussi.

— Raison de plus pour n'en point tenir compte.

— Que non, que non! Je sais d'expérience que la situation n'est pas irrémédiable.

— Que voulez-vous dire?

— Que vous avez souvent le sommeil fort lourd et que maintes occasions m'ont été données de rompre la glace sans que vos ronflements n'en souffrent.

— Vous auriez osé!

— Naturellement! Quel homme normal, poussé comme moi par le désespoir de voir s'écouler des siècles sans que jamais lui soit offert le moindre écart, eût résisté à pareille tentation? Car votre sommeil, tout lourd soit-il, a un je ne sais quoi de détendu qui vous fait plus sinueuse de nuit que de jour et agit comme une porte entrouverte sur la luxure.

— Oh!

— N'en prenez point ombrage, Madame, il s'agissait d'un compliment. Eveillée, cet air guindé que vous persistez à afficher malgré les calembours que je m'évertue à inventer pour vous faire rire découragerait Giovanni Giacomo Casanova de Seingalt lui-même.

— Parlez plus bas, on pourrait vous entendre et je perdrais illico mon cercle d'admirateurs.

— Serait-ce là tout ce qui vous intéresse? Que l'on regarde la marchandise, mais qu'on n'y touche point? Vous savez quel nom l'on donne à ce genre de femme?

— Voilà qui me laisse froide.

— Oh, ça...

— Quoi qu'il en soit, vous vous comportez

Battista Sforza — Federigo da Montefeltro, par Piero
della Francesca (Borgo San Sepolcro, *ca* 1416-1492),
Florence, Musée des Offices.

d'une manière inacceptable que je ne tolérerai pas davantage. Reculez, je vous prie, votre chaise. Malgré votre corpulence, vous avez des genoux osseux. Les miens sont couverts d'ampoules.

— Or donc, la douleur même ne vous éveillerait pas! Quel stoïcisme! Je vous soupçonne, Duchesse, de n'avoir jamais que feint de dormir... Avouez... allons, avouez... avouez que le mystère vous excite, l'obscurité, la passivité...

— Vous êtes désaxé.

— Pardieu! mon axe est on ne peut plus en place! Regardez, vous verrez...

— Taisez ces mots que je ne saurais ouïr, Monsieur le Duc! Et reculez votre chaise immédiatement.

— Je n'en ai pas la moindre intention, Duchesse. Bien au contraire.

— Arrêtez tout de suite ou je crie! Arrêtez, vous m'entendez? Arrêtez. Arrêtez... Mais arrêtez donc...

— Ah, je vois... Vous aimez vous faire prier...

— Mais pas du tout! Qu'est-ce qui vous prend? Outre que vous froissez ma robe...

— Qui s'en souciera? On ne nous voit qu'en buste.

— Moi. Les faux plis m'irritent au plus haut point.

— J'ai pu le constater.

— Malappris! C'est trop fort!

— J'essaie pourtant d'être délicat...

— Vos façons de hussard ne m'inspirent rien de ce que vous souhaitez. Vous errez sur ma personne.

— Oh, excusez-moi. Ici... c'est mieux?

— Je vous préviens! Une minute de plus, et...

— Vous céderez?

— Duc!

— Appelez-moi Federigo.

— Quelle honte, aussi, ce ridicule vis-à-vis. On n'a pas idée de disposer ainsi les gens! J'ai pourtant supplié Piero de ne pas m'imposer ce duo, mais il ne voulait rien entendre. Cela devient intolérable...

— Vraiment? Y aurait-il de l'espoir? Allons... je vois bien que ce petit jeu ne vous déplaît pas du tout...

— Ce petit jeu, comme vous dites, est ignoble. Ecartez-vous.

— Je ne demande pas mieux, mais à me retenir comme vous le faites, vous m'en rendez bien incapable...

— C'est que... je...

— Vous fléchissez...

— Pas le moins du monde, je vous assure...

— Si, si. Ne me prenez pas pour plus sot que je ne suis. Je m'en aperçois. Et vos mains, là, sur mes cuisses?

— Je me sens un peu étourdie... alors je... j'ai perdu l'équilibre... j'ai voulu me retenir, voilà tout. Naturellement, par hasard, j'ai remarqué la qualité

100

du tissu de votre vêtement et... j'en appréciais la douceur... Monsieur le Duc...

— Federigo.

— Federigo... puisque vous y tenez...

— La doublure en est encore plus soyeuse. Allons, tâtez, tâtez, c'est de la pure soie de Chine.

— En effet... de la soie... Federigo...

— Duchesse... enfin!

— Federigo...

— Ah! je ne me contenais plus...

— Federigo... Federigo...

Le lendemain matin, le visage de la duchesse Battista Sforza avait perdu sa blancheur caractéristique et, pour la première fois depuis sa naissance, Federigo da Montefeltro, duc d'Urbin, souriait.

Fantaisie sur
Le concert
du Giorgione

à J.M.

— Si vous me permettiez une petite remarque, j'avancerais que vous avez sauté une mesure, là.

— Pardon? Vous dites?

— Hum... cette mesure, là... vous ne l'auriez pas sautée?

— Non, non... je ne crois pas, non.

— Pourtant, voyez-vous, vous étiez nettement en avance sur moi et j'ai dû cesser de jouer, tant cela boitait.

— Voyons, mon cher, vous n'avez aucune oreille, sûrement. Je n'ai rien remarqué de spécial qui se détache de l'ensemble généralement confus.

— Pardonnez-moi si j'insiste... Auriez-vous oublié que j'ai moi-même composé cette messe et que je la connais par cœur dans tous ses détails?

— Diantre, non! Comment le pourrais-je? Elle est farcie de défauts qui ne s'oublient guère et si, comme vous le prétendez, j'ai sauté une mesure, là… mon instinct m'aura dicté qu'elle ne devait pas y être de toute façon!

— Comment osez-vous parler de la sorte? Sachez que Heinrich Isaac lui-même, à la cour de Laurent, quand je la lui ai si humblement portée, a qualifié ma messe de « grandiose hommage à la perfection divine » et que…

— Et qu'il s'est tout de même bien gardé de la confier à ses musiciens et ses choristes.

— … et que j'ai étudié avec Des Prez pendant cinq ans, ce qui n'a pas été sans m'apporter quelque chose, et d'ailleurs, il trouvait en moi l'un de ses meilleurs élèves, et d'ailleurs, dans le passage précédent, vous n'avez pas respecté…

— Vous vous embourbez.

— … dans le passage précédent, vous n'avez pas respecté mes indications qui étaient, d'ailleurs…

— Encore ce mot!

— … qui étaient, d'ailleurs, *lento e maestoso* et non pas *allegro con brio* tel que vous l'avez joué en y ajoutant, d'ailleurs, une ironie non dissimulée…

— Qui s'accordait parfaitement avec la bêtise contenue dans votre *Agnus Dei* que vous avez si habilement privé du dépouillement qui lui sied pour l'affubler d'un caractère pompeux et d'un clinquant dégradant, sans mentionner ces redites ridicules comme celle-ci… et celle-là… vous voyez? et encore ici… et là… redites dont vous affligez également, soit dit en passant, votre vocabulaire.

« S'il n'en tenait qu'à moi, songea la femme au chapeau emplumé, je briserais les doigts de ce faux claveciniste. Il n'a aucune subtilité. »

— Et puis, d'ailleurs, vous chantez faux. Isaac m'a prévenu: « Choisissez bien vos voix! Une œuvre si complexe, m'a-t-il dit, si délicate, réclame un ensemble vocal d'une maîtrise exemplaire » à laquelle vous n'atteignez point, d'ailleurs, cela me paraît évident!

— D'ailleurs, — puisque vous semblez tenir à ce mot — si vous n'êtes pas satisfait, pourquoi diable avez-vous proposé votre messe au Giorgione quand il s'est agi de nous la faire exécuter sans relâche, alors qu'il eût été beaucoup plus simple et certes moins agaçant d'interpréter la musique d'un maestro authentique! Vos créations, mon cher, ne survivent pas à la répétition!

« Tes prouesses non plus, sale petit moine, maugréa la femme dans son for intérieur. Tu me l'as démontré une fois encore la nuit dernière. Je me demande comment j'ai pu supporter pareil ennui si longtemps. »

— Comment survivraient-elles au traitement que vous leur infligez? Depuis six cents ans, vous résistez à toutes mes tentatives de nuance, vous noyez systématiquement mon luth sous un vacarme abêtissant, vous ignorez la moindre inflexion et faites de cette messe une sarabande ou pis, une marche militaire implacable, comme si vous vous réjouissiez de la Passion du Christ!

— Votre luth et l'usage que vous en faites ne méritent pas mieux. Vous avez des cordes plein les

Le concert, par Giorgione (Giorgio da Castelfranco, dit),
(Castelfranco, *ca* 1477 — Venise, 1510), Florence,
Palais Pitti.

Dans *L'art et l'âme*, Paris, Flammarion, 1961, Vol. III, p. 5,
René Huyghe écrit sous la reproduction: « Ce tableau dont
l'attribution est partagée entre Giorgione et Titien, fait
vraisemblablement partie des œuvres du premier,
achevées à sa mort par le second. »

D'autre part, *Le Palais et la Galerie Pitti*, Anna Maria
Francini Ciaranfi, Florence, Editions Arnaud, 1956,
donne Titien.

pouces et des pouces plein les mains; il y a bien assez longtemps que je me retiens de vous le dire!

— Et vous donc, espèce de grand délavé! Je me demande bien quelle idée a traversé l'esprit de Giorgione quand il vous a engagé pour ce tableau! Vous avez une tête d'un fade! Elle rend parfaitement l'intériorité que vous ressentez de mon œuvre: le vide total, le vacuum, la stérilité!

— Ah, mais! vous délirez, ma foi! N'avez-vous jamais entendu ce que répètent tous les critiques d'art qui nous viennent voir au Palais Pitti? « ... sentiment concentré... », « ... l'âme véritable de la musique... », « ... extase musicale... », et quoi encore! Je penserais plutôt être un comédien surdoué pour arriver ainsi à faire croire au public que j'embrase du feu d'une passion que votre « œuvre », si j'ose l'appeler ainsi, ne m'inspire absolument pas.

« Pauvre crétin de moine, se dit la femme à part soi. Il n'y a pas que la musique qui ne t'inspire pas. Tiens, à bien y songer, je crois que je serais plus sage d'accorder dorénavant mes faveurs au petit chauve... Il en écrira peut-être un madrigal! »

— Je vous en prie, cessez de vous moquer de moi et de critiquer ma musique comme vous le faites! C'est humiliant...

— De grâce! Pas de scène du troisième! Ce sanglot dans la voix, c'est d'un mélo!

— Un mot de plus et je casse tout! Vous m'entendez? Je casse tout! Je casse tout! Votre instrument! Le mien, auquel je tiens pourtant plus qu'au vôtre! Je casse tout! Vous n'avez pas de cœur!

« En effet... ni beaucoup du reste... », conclut la femme au plumet.

— Excellente initiative! *Libera nos, Domine*! Votre messe ne me cassera plus les oreilles!

D'un commun accord — mais sans se consulter —, la femme au chapeau extravagant et le petit chauve attaquèrent le moine, lui rompirent les doigts, lui fendirent le crâne, le broyèrent, le mirent à sécher et le réduisirent en poudre. Puis ils s'en furent, bras dessus, bras dessous, tandis que le compositeur bafoué balançait par-dessus son épaule une petite fiole contenant les restes de son vil interprète.

Fantaisie sur
L'annonciation
de Botticelli

— Pardon, madame... Mais avant d'en venir au fait, j'aimerais souligner que le parquet de votre chambre est fort glissant et que je me suis écorché un genou en atterrissant.

— Oh... je suis désolée, vraiment... Je ferai des remontrances à ma bonne. Il n'y a plus moyen, de nos jours, d'avoir des domestiques compétents! Croyez que je le regrette... J'espère que vous n'avez pas également taché votre jolie robe sur cette flaque de graisse, auquel cas vous seriez aimable de me remettre en temps opportun la note du teinturier...

— Non, non, ça va, ça va... Oui, bon. Qu'est-ce que j'allais dire? Ah, oui! Vous...

— Mais où ai-je la tête? Vous prendriez sans doute un peu de thé?

— Merci, non. A moins que vous n'ayez à m'offrir quelque chose d'un peu plus...

— Un sherry, peut-être? Ou un petit coup de rouge?

— Oui, merci, un coup de rouge... Mieux que rien...

— Vous dites?

— Rien, rien... sinon que vous savez sans doute que le monde actuel est un peu, mettons, chaotique... Délicieux, ce rouge.

— Ah! ne m'en parlez pas!

— Comment?

— Non! pas le vin! Je dis, les journaux ne nous apprennent jamais que des nouvelles atroces. C'est d'un déprimant!

— Et que les hommes se dirigent lentement, mais sûrement, vers la damnation éternelle...

— Indubitablement. C'est affreux! Encore hier, je disais à ma femme de chambre, vous savez, cette petite brune que vous avez failli renverser tout à l'heure en entrant par la fenêtre?

— Oui, je me rappelle. Pas mal du tout, d'ailleurs.

— Eh bien, hier encore, je lui racontais...

— Laissons cela, si vous voulez. Je n'ai pas beaucoup de temps et nous avons tout le sort du monde à régler. La situation actuelle de l'humanité a obligé Dieu à réviser sa stratégie pour que les Hommes ne sombrent pas trop vite dans la dèche. Il a cru bon de leur donner un Sauveur et semble convaincu que sa naissance arrangera tout. Personnellement, je ne suis pas de cet avis, mais je ne suis pas là pour discuter. Or, pour que naisse un mioche, tout Sauveur soit-il, il faut le fàire, à moins d'un miracle, et les miracles...

L'annonciation, par Sandro Botticelli,
(Florence, 1445-1510), Florence, Musée des Offices.

si vous voulez mon opinion... que Dieu partage, de toute évidence, puisque me voici...

— Je ne saisis pas très bien où vous voulez en venir.

— Dieu, qui est parfois assez malin, a voulu mettre toutes les chances de son côté. Il a trié les géniteurs sur le volet: vous, pour votre beauté et votre effacement, moi, pour mon intelligence, mon entregent, mes gènes manifestement supérieurs et pour, enfin, pour mon expérience, quoi, si vous voyez ce que je veux dire...

— Pas vraiment, non, je ne vois pas...

— Je vous montrerai, je vous montrerai...

— A vrai dire, je ne comprends pas très bien ce que vous attendez de moi. Pourriez-vous être un peu plus clair?

— Certainement, madame. Vous allez être mère.

— Mère? Moi? Mais je ne saurais...

— Mais si, mais si... cela s'apprend tout seul, vous verrez.

— Je veux dire, je ne vois pas comment...

— Votre maman ne vous a jamais rien appris?

— A quel sujet?

— Mais les fleurs, les petits oiseaux...

— Ah! je vois! vous voulez visiter le jardin! Justement, c'est toujours moi qui m'en occupe. Un don hérité de ma mère. Et les rosiers sont si jolis cette année! Venez, c'est par là...

— Madame, je ne parle pas du jardin! Pas de celui-là, en tout cas!

— Alors de quel jardin parlez-vous?

— De celui, tout petit et tout neuf que, enfin, je veux dire... Oh, et puis zut! il faut une patience d'ange avec vous!

— Ce n'est vraiment pas la peine de vous hérisser de la sorte! Suis-je coupable si vous êtes incapable de formuler une phrase cohérente? Vous connaissez cette maxime: « Ce que l'on conçoit bien s'énonce clairement et les mots pour le dire arrivent aisément », ou quelque chose du genre?

— J'essaie, madame, j'essaie. Mais il n'est certes pas aisé d'expliquer à une dame comment on fera d'elle une maman quand elle ne connaît pas déjà les règles du jeu.

— Je suis pourtant tout ouïe!

— Il ne s'agit surtout pas de cela! Vous et moi, nous allons nous... ou plutôt, nous échangerons des... en fait, ce que nous ferons, vous voyez, c'est très simple, ce que nous ferons, c'est que nous... nous nous... comme ça, et puis nous...

— Vous en avez encore pour longtemps? C'est que j'ai rendez-vous avec ma couturière, et je suis déjà en retard.

— Je veux dire, nous... c'est ça! Nous communierons! Nous ne ferons plus qu'un, cela donnera un enfant, vous épousez ensuite qui vous voulez pour sauver la face et légitimer votre fils, vous lui donnez naissance dans des circonstances que vous vous efforcez de rendre spectaculaires, on parle de vous dans les journaux et, pendant les siècles des siècles, l'humanité est sauvée de l'enfer, Dieu est content, j'obtiens une promotion, amen! rien de plus simple.

— On parlera de moi dans les journaux? Oh, chouette! Et on verra aussi ma photo?

— On verra aussi votre photo.

— Alors, dites, pensez-vous que ce manteau me va? Parce que, pour les photos, j'ai un très bel ensemble de soie pêche...

— Non, non, gardez celui-ci, c'est plus discret, moins patricien, si vous voyez ce que je veux dire.

— Vous savez mieux que moi, n'est-ce pas? Vous êtes plus au courant de ces questions... Pourtant, il me semble que la soie, à la lumière des réflecteurs, enfin... Vraiment? Pas de soie?

— Pas de soie. Directives d'en haut.

— Alors, tant pis. Bon, eh bien, qu'est-ce que je dois faire, dans l'immédiat?

— Vous allez dans la pièce à côté, vous enlevez votre robe, vous vous étendez sur votre lit et vous attendez que j'arrive.

— Enlever ma robe? Mais vous n'y pensez pas! Je ne me suis jamais déshabillée devant un homme!

— Mais je ne suis pas un homme! Vous ne m'avez pas regardé? Je suis un archange! Vous voyez bien que j'ai les cheveux longs et bouclés, une robe pastel et des ailes diaphanes! Quelle sorte d'homme se laisserait affubler de la sorte?

— Oui, je suppose que vous avez raison... Bon, très bien, alors. A tout de suite. Mais faites vite, j'ai rendez-vous avec...

— Votre cuisinière, je sais.

— Ma couturière!

— Cuisinière, couturière, c'est pareil.

— Mais pas du tout!

— ALLEZ DANS LA PIÈCE À CÔTÉ!

— Bon, bon, j'y vais... Mais moi, si j'étais Dieu, je ne vous la donnerais pas, cette promotion... vous n'avez pas de manières. Vous me criez après comme si j'étais encore une enfant. Vous n'aurez plus de vin, tiens. Je vous punirai de me parler sur ce ton... et ça se prend pour quelqu'un de bien... et on lui confie des missions importantes... aucune diplomatie...

Et pendant que s'entendaient de l'autre pièce les grognements de Marie et le froissement de vêtements qu'on retire, Gabriel fredonnait allègrement un *Magnificat* à la mode et vidait son ballon de rouge. Puis il dévissa ses ailes, non sans quelques contorsions, et se dévêtit. Il lissa ensuite ses cheveux, se frappa dans les mains et, arborant l'air radieux de qui voit enfin sa journée bien tourner, il pénétra avec ardeur dans la chambre de la Vierge.

Troisième partie

LES TROLLS

« De tous les animaux qui s'élèvent dans l'air,
Qui marchent sur la terre, ou nagent dans la mer,
De Paris au Pérou, du Japon jusqu'à Rome,
Le plus sot animal, à mon avis, c'est l'homme. »

BOILEAU
Satire VIII

Les Trolls

Le premier n'ayant pas de nom précis et étant de mémoire de Troll le plus ancien, on l'appelle Le Premier.

Sa naissance dut se produire comme pour tous les autres sous les branches basses d'un sapin baumier, entre deux racines, en pleine nuit, mais rien ne le prouve et il n'est pas rare qu'à la veillée, juste avant l'aube, chacun y aille de sa version. Selon certains, la taille gigantesque du Premier constitue une preuve irréfutable de son âge avancé et ils n'hésitent pas à affirmer qu'il vint au monde à l'époque reculée et bénie des châteaux quand les Trolls, hautes et sculpturales créatures, vivaient en seigneurs et maîtres à l'abri de leurs tours et dominaient les vastes forêts nordiques. Toute l'aristocratie ayant à une époque ou une autre subi quelques revers, les Trolls auraient vu peu à peu s'amoindrir leur taille en même temps que leur fortune et préféré aux donjons les cavernes où, plus près du sol, ils respiraient mieux. Cette dégénérescence, d'ailleurs, continue de se manifester et chez les plus jeunes certains atteignent maintenant une telle petitesse qu'ils ont élu domicile dans des galeries souterraines à peine plus larges qu'un terrier de lapin.

Le Premier, à l'étroit dans les grottes où se meuvent aisément ses compatriotes et contraint par sa stature à déambuler tête et épaules courbées depuis tant d'années, est doué d'un caractère abominablement grognon n'ajoutant rien d'agréable à la puanteur qui le distingue des autres et qui découle du fait que, frustré dans ses ambitions de suzeraineté, il absorbe en grandes quantités une liqueur infecte, cordial produit par la distillation d'insectes mâles et d'épis de *Carex*. En outre, son corps déjà difforme s'embarrasse depuis quatre décennies au moins d'une bosse adventice, excroissance dorsale plutôt fâcheuse l'obligeant, dans ces cryptes à plafond bas, à d'infinies précautions.

Comme tous les Trolls, même les plus petits, Le Premier est un bipède pentadactyle au front large mais surbaissé et aux oreilles protubérantes. Il possède également une pilosité moyenne dite « normale » dans les cercles bourgeois et s'enorgueillit d'une étrange pudeur l'empêchant de vivre nu. D'une façon générale — et si l'on excepte l'assurance accrue que lui confère le vêtement — il peut se vanter d'avoir, malgré sa mâchoire formant saillie et ses petits yeux de fouine, l'air un peu plus intelligent qu'un primate.

Quant au second, sa laborieuse passion pour l'étude des sous-sols et la quête de fossiles pouvant le conduire plus sûrement à ses origines que les hypothèses les plus doctes, de même que son nez en forme de cuiller dont il se sert avec dextérité dans une grande variété d'occupations, lui valent depuis longtemps le surnom de Magnus Fossor. De par son emploi du temps hautement intellectuel et sa taille moyenne (1m), on le range dans la catégorie des Trolls favorisés, couche majoritaire de la société à laquelle il tient tous les mardis soirs d'interminables propos paléontologiques que tous applaudissent d'un air entendu sans en comprendre le sens. Ces conférences savantes sont prononcées en latin vulgaire, considéré par les Trolls comme langue d'avenir.

Fort de sa sapience, Magnus Fossor dirige aussi une petite entreprise démocratique constituée en coopérative où sous sa dictée quelques suivants rédigent le cent quarante millième tome du *Guide de survie du parfait petit Troll*. Cette inépuisable source de conseils inscrits en capitales pour en faciliter la lecture est ensuite distribuée en feuilles détachées de toutes les couleurs au reste de la population dont les membres, sans prénom distinct, répondent tous à l'appellation de Trollum Pusillum. Ces derniers en suivent alors studieusement le tracé avec l'index de leur main gauche, leur front bombé étroitement plissé par l'effort.

Les résultats positifs de ces bains de savoir emplissent Magnus Fossor de fierté nationale et l'incitent de temps à autre à récompenser les plus doués de ses disciples en leur accordant tour à tour le privilège fort convoité de diriger, depuis un point stratégique, les mouvements de masse.

Quand les Trolls ne s'adonnent pas à d'édifiantes besognes, ils perpétuent, pour occuper leurs loisirs, quelques arts traditionnels de haut niveau culturel, tel le tissage de pattes de maringouins. D'aucuns, très talentueux, réalisent ainsi de fort jolis centres de table, des jardinières suspendues, des rideaux diaphanes garnis de franges torsadées et des courroies légères à usages multiples.

Bien que ces occupations ne soient pas uniquement réservées aux Trolls femelles, elles y excellent tout particulièrement et s'y consacrent de gaîté de cœur et en toute innocence, tandis que les mâles cherchent des exutoires plus engageants et se livrent, lors des rassemblements de chasse menés par Magnus Fossor, à quelque passionnante diérèse — « opération par laquelle on écarte des parties dont le rapprochement pourrait être nuisible. »[1]

Ces chasses, comme du reste toutes les activités trolliennes, doivent avoir lieu la nuit puisque la lumière, d'où qu'elle vienne, a sur le peuple des effets néfastes allant de l'impuissance pure et simple — mais curable, hélas! — à l'assèchement cérébral, en passant par l'hyperacidité et l'amblyopie.

En rangs serrés, les Trolls suivent leur guide mieux qu'un troupeau son menon et ponctuent leur marche de légendes guerrières et d'airs anciens assez pittoresques, exhumés et sauvés de l'oubli par Magnus Fossor au prix d'efforts surhumains qui lui valurent, d'ailleurs, un doctorat honorifique de l'*Universitas studiorum Novae Trollesiae*. (D'une part mû par un sentiment d'humilité fort louable chez une personne de son sexe, et d'autre part en reconnaissance des services rendus en maintes occasions — en particulier lorsque son nez ne lui était d'aucun secours — par les Trolls de petite taille dont la réputation de travailleurs manuels est depuis longtemps reconnue même outre-frontière, Magnus Fossor donna à son papier une place de choix et d'accès facile pour toute

---

1. *Petit Robert*, Paris, S.N.L., 1972, p. 479.

la population. Ainsi, le cabinet d'aisances de la Caverne des Loisirs Populaires où sont également dispensés des cours intensifs en relations humaines s'orne d'un parchemin impressionnant qui dissimule — mais en partie seulement, vu l'étroitesse du cadre — quelques disgracieux graffiti et sert, en outre, d'encouragement aux Trolls en position d'infériorité.)

Pour unique matériel, les Trolls emportent avec eux une gibecière géante en tissu grossier mais joliment brodée de signes runiques dont la signification leur échappe: en effet, l'équipée cynégétique faisant partie des mœurs depuis plusieurs millénaires, il est normal que la complexité de ses rituels se soit effacée avec le temps au profit de résultats élémentaires on ne peut plus enivrants. Les Trolls assujettissent leurs victimes — jeunes Barbares habitant des villages disséminés çà et là à la lisière des grandes forêts, et ayant pour passe-temps préféré les promenades nocturnes en lieux déserts — à force de calembours d'un goût douteux qui produisent sur elles un effet soporifique immédiat. Seul Le Premier est pourvu d'une arme de choc à mi-chemin entre la pertuisane et le maillet, car il se voit souvent contraint de pallier par l'accessoire la confusion que créent dans son esprit ses nombreuses ingurgitations.

Le gibier est ensuite transporté, dans un état comateux plus ou moins avancé selon son degré de résistance, dans une clairière isolée où tour à tour — préséance accordée à Magnus Fossor vu son rang élevé — les Trolls amorcent une combinaison méticuleuse de gestes compliqués qui consistent à éloigner d'abord du gauche le membre inférieur droit de leurs proies, ce qui provoque chez les plus rétives des étirements douloureux, puis à procéder, dans l'interstice, à une danse faite de sautillements brefs et nerveux, sans but apparent, accompagnés de petits râles étouffés présentant un rapport de similitude avec certaines manifestations d'apnée ou d'asthme.

Tandis que Le Premier dont le goût marqué pour les boissons bizarres le réduit à un état presque complet d'hébétude se délasse en marquant la cadence de cette joyeuse gaillarde de façon plutôt fantaisiste, les fêtes sylvestres se prolongent jusqu'à la nuit avancée quand les Trolls fourbus mais exaltés réintègrent vivement leurs grottes avant le lever du jour.

Les femelles, inquiètes de les voir toujours revenir bredouilles en arborant au visage une vive enluminure, s'emploient à les harceler de questions indiscrètes auxquelles les petits répondent par un haussement d'épaules éloquent, et les autres par une thèse érudite négligemment lancée. Dans les deux cas, les Trolls femelles sombrent rapidement dans le mutisme le plus complet grâce à leur grande faculté d'adaptation et aussi à certaines déficiences congénitales qui les rendent plus aptes à susciter des réponses qu'à en pénétrer le sens.

A la même heure, les jeunes Barbares libérées rentrent chez elles lasses, livides et cheveux défaits. Si d'aventure quelque soucieux géniteur s'enquiert auprès de l'une d'elles des raisons de son absence prolongée, elle déclarera avoir été enlevée par les Trolls. Mais ces paroles hasardeuses ont valu à plusieurs d'être exhérédées sur-le-champ, car un esprit pénétrant y devine aisément que la demoiselle a passé la nuit chez les Hommes.

Le collectionneur
de naines

Le comte de Ghérarde, homme de goût, ne se mouchait que dans du lin et insistait pour que ses draps et toute sa lingerie fine fussent bordés de dentelle de Bruges.

Son enfance (dont on pouvait avec justice douter qu'elle eut jamais une fin), marquée par les soins et les gâteries des nurses, gouvernantes, femmes de chambre et autres bonniches empesées, l'avait très tôt initié aux menus luxes de l'oisiveté et de la fortune. Ainsi, les lois d'une curieuse esthétique régissant chacun des aspects de sa vie, il ne supportait pas que les appartements où il vivait fussent tendus de toile grossière et muette, et il avait méthodiquement choisi pour chacun d'eux de lourds brocarts où se lisaient sur l'un, des arabesques gracieuses, sur un autre, des entrelacs de fleurs, sur un autre encore, des oiseaux à plumage spiralé. En outre, il avait à grands frais commandé pour sa chambre un plafond peint de scènes champêtres délicieuses où évoluaient angelots dodus, bergers imberbes et jeunes galants. Il s'entourait de meubles aux courbes délicates, de draperies vaporeuses agrémentées d'un petit volant,

125

de fauteuils pastel à fines rayures, et réservait aux quartiers des domestiques les tables austères, les armoires Jean XXIII et les divans raides, car il savait que l'accoutumance au faste peut mener les subalternes à la mutinerie.

Ce goût marqué pour l'élégance teintant les plus petits détails de sa vie quotidienne, il avait dressé sa cuisinière à ne lui présenter jamais les œufs frits du petit déjeuner sans en avoir au préalable découpé les contours avec soin afin d'en raboter la moindre inégalité de courbe.

Comme lui-même apportait semblable attention à son impeccable vêture, sa coiffure et son teint, dans le but de préserver celui-ci de l'ardeur du soleil et celles-là des affres de la brise, il ne sortait jamais sans se munir d'abord d'une ravissante ombrelle qu'il faisait tournoyer sur son épaule selon un rythme étonnamment désinvolte pour une personne de sa rigueur.

Afin d'occuper les longues heures de l'après-midi, il bissait d'un air las ses musiciens de service pour leur parfaite exécution de quelque gavotte ou passacaille, et s'exerçait autant à la rhétorique qu'à la versification en suçotant des dragées. Telle abondance de sucre fin et d'indolence avec le temps logée au niveau de la ceinture l'obligeait, dans sa coquetterie, à dissimuler un sérieux renflement épigastrique sous des chemises à volumineux jabots.

Assez soucieux de sa démarche il avait installé en divers points stratégiques des glaces lourdement encadrées de dorures où il pouvait en tout temps vérifier la perfection de son maintien par une petite virevolte accompagnée d'un harmonieux mouvement de l'avant-bras. Parfois, s'en approchant, il se laissait momentanément déprimer par l'aspect dépoli de son visage rose quand une ride sournoise le venait profaner et, avec un affligeant soupir, il trottait jusqu'à son cabinet de toilette dans le dessein d'appliquer généreusement sur la peau délicate des paupières un baume fait de lait de chamelle, de jus de poire, de vitamine E et de crème Chantilly.

Bien que sa vie de château ait été chargée d'imprévus et de préoccupations sérieuses (la préparation des menus et le choix des bijoux dont la teinte devait s'harmoniser à celle de son vêtement occupaient la plus grande partie de son temps), le comte de Ghérarde s'absentait parfois et, même, se révélait un ardent et authentique voyageur. Tous les trois ans, il entreprenait à bord d'un train aux compartiments lambrissés, d'un paquebot en grand pavois ou d'un enivrant supersonique un voyage de recherche qui le menait vers des contrées souvent éloignées de toute civilisation, où l'on trouvait beaucoup d'églises, quelques forteresses et fort peu de palaces. Ces pérégrinations avaient pour but de lui faciliter l'acquisition à prix d'or de quelques manuscrits ou parchemins dont les qualités calligraphiques l'enchantaient au plus haut point et le poussaient à développer sa propre créativité. C'est ainsi qu'il fabriqua un jour de ses mains, entre autres pièces d'un grand raffinement, un superbe abat-jour à même deux scènes d'une tragédie d'Euripide négociées dans une bibliothèque de Naples, et une bonbonnière laquée où s'encastrait une lettre autographe d'un certain Diderot dont on lui avait dit le plus grand bien.

Le comte de Ghérarde profitait aussi de ces déplacements pour rendre visite à quelques amis — marquis, duc ou héritier d'une grande famille — dont les aspirations s'accordaient parfaitement aux siennes et auprès desquels il avait l'apaisant sentiment de bien pénétrer l'âme du peuple.

L'un d'eux l'ayant un jour mis sur la piste, il se découvrit un fort penchant pour les divertissements hors du commun et employa le reste de son voyage à rechercher les éléments qui pussent lui assurer, dès son retour, toute une variété d'activités ludiques hautement appréciables et ne requérant, somme toute, qu'un faible investissement initial. C'est ainsi qu'il se porta acquéreur des deux premières naines de sa collection qui en compte maintenant au-delà de douze.

Il avait déniché la première après d'interminables enquêtes dans un bouge de Barcelone où il était entré en réprimant un haut-le-cœur et où la belle enfant se dandinait sur les genoux d'un guitariste aveugle occupé à accorder son instrument.

La description minutieuse d'une vie d'honnête aisance au milieu des coussins, des parfums et des grasses matinées eut tôt fait de convaincre la jeune personne de suivre monsieur le comte. Ce dernier, devant l'accoutrement bizarre de la petite femme (jupe à plis plats orange, tricot bleu et blanc à rayures horizontales à la façon des gondoliers et godasses affreuses d'un violet pourtant agréable à l'œil) se dit qu'il saurait bien lui inculquer deux ou trois notions d'esthétique vestimentaire et tandis que, trotti-trotta, ils partaient tous deux en quête de la seconde, il se voyait déjà maniant l'aiguille pour habiller ses poupées d'un costume digne de leurs nouvelles fonctions.

L'existence de la deuxième fut signalée au comte de Ghérarde par un évêque catholique en vacances au bord de la mer Caspienne. Le prélat l'ayant eue à son service pendant de nombreuses années, il commençait d'en ressentir une certaine lassitude et apprécia fort de la pouvoir céder à bon prix, réalisant même un profit non négligeable grâce auquel il allait pouvoir s'offrir le luxe de deux servantes au lieu d'une. Cette perspective l'empêchant de réprimer un sourire béat qu'il eût préféré intérieur, pour retrouver sa contenance il manipula vigoureusement sa croix pectorale.

Pendant les années qui suivirent, le comte de Ghérarde attacha une grande importance aux détails de sa collection. Grâce à une longue suite de transactions et d'échanges compliqués, il put bientôt se vanter de posséder des naines aux couleurs et aux textures variées, d'aucunes languides et d'autres alertes, douées chacune d'un talent distinctif et capables, en groupe, d'une multiplicité de prouesses très saisissantes.

Bientôt il ne s'écoula pas un jour sans que le comte de Ghérarde ne réunisse sa précieuse galerie dans la salle des récréations vespérales où il s'appliquait tout d'abord à définir, par habillages et déshabillages successifs, le costume particulier à chacune des petites personnes selon ses caprices et humeurs du moment, puis à les disposer sur une série de socles de différentes hauteurs dans des poses savamment étudiées auxquelles il apportait le plus grand soin.

Ces préambules clôturés, il prenait place sur un très joli récamier mauve derrière lequel se tenaient en permanence deux naines ayant pour uniques fonctions de l'éventer avec un flabellum et de le ravitailler en liqueur fine et en noix d'acajou.

Au son d'une musique idoine qui pouvait aller de la simple bossa-nova aux contrepoints les plus élaborés, les naines sautaient tour à tour de leur perchoir pour venir déployer leurs talents devant monsieur le comte. Individuellement d'abord, elles détaillaient les derniers perfectionnements de leur art acquis au prix de longues heures d'étude solitaire à laquelle elles consacraient toutes leurs journées, puis dans des vis-à-vis enchanteurs et d'exquises constructions pyramidales d'un parfait équilibre, elles mettaient à profit leurs connaissances communes pour la plus grande joie de leur estimable spectateur. Chaque soir lui réservait de magnifiques surprises qui culminaient dans un finale vivace très réussi et le comte de Ghérarde, de plus en plus émerveillé par les aptitudes de ses protégées et fier d'avoir su se ménager d'aussi divins plaisirs pour l'œil, les applaudissait avec un vif enthousiasme qui colorait son visage de pourpre et lui donnait de sérieuses palpitations.

Avant que ne s'apaise son euphorie, il congédiait les naines déçues de retrouver leur solitude après d'aussi vivifiants échanges puis, regagnant ses appartements privés où l'attendait la mollesse d'un lit à cantonnière particulièrement invitant, il sonnait son majordome à qui il offrait avidement et avec force détails un compte rendu légèrement remanié de la mise en scène dont il venait d'être l'heureux témoin.

Le scribe

La Grande Explosion ayant décimé la population, annihilé respectueuses, muguets, nonnes, garçons de café, politiciens, percepteurs d'impôts et autres spécimens superflus, puis rasé les facultés où il œuvrait aussi aisément que les bouges où, en homme qui se cultive par de petites choses, il faisait office de pilier, l'éminent Professeur Cléophas Drulle, Ph.D. (Hist.), M.A. (Ethn.), M.Sc. (Arch.), J.U.D., D.-ès-L., LL.D., s'ennuyait.

D'aucuns, rares il est vrai, s'étonneront que l'éminent Professeur Cléophas Drulle comptât parmi les quelques survivants de l'hécatombe, mais la Providence exige qu'on s'incline devant ses impénétrables desseins. Drulle, cependant, ne mit nullement en question la sagesse divine et se convainquit très tôt de ce que son salut avait été planifié de main de maître afin qu'il participe à la création d'une race nouvelle à laquelle il pourrait léguer — outre une apparence crapoussine légèrement piriforme — cela qui faisait de lui un être hors du commun.

Cette édifiante pensée ne lui vint toutefois qu'en second lieu, après qu'il eut péniblement trouvé une

solution au problème posé par l'absence de nourri-
ture précuite, de boissons frelatées et d'un abri sûr.
Peu doué en général pour ce genre d'activités, l'éminent Professeur se révéla quand même un homme
plein d'invention, car l'instinct de survie, on le sait,
est dispensateur de talent. Ainsi, il découvrit au
prix de trois ou quatre empoisonnements mineurs
qui n'eurent pas hélàs! raison de lui les multiples
propriétés des plantes sauvages et des insectes, sut
que faute de poulet aux hormones on en pouvait
manger, que faute de bibine ou de plus glorieux
alcools on en pouvait boire, et regretta un peu de leur
avoir toujours accordé une importance négligeable,
ne les estimant utiles qu'à ces viles opérations de
sorcellerie auxquelles un homme de son érudition
doit demeurer indifférent. Il apprit du même coup
l'existence d'une infinie variété de champignons et
constata non sans une certaine blessure d'orgueil que
ses nombreux parchemins ne séparaient pas à sa
place les comestibles des vénéneux. Dans un élan
de contestable prudence il préféra donc se priver de
bulbes et ne goûta pas davantage après la Grande
Explosion qu'avant les plaisirs de leur dégustation.
Les divers décoctés de cloportes ou de baies multi-
colores que sa nouvelle situation lui imposait comme
désaltérants eurent heureusement pour effet de le
guérir d'une dipsomanie vieille de plusieurs années
qui achevait de lui carier les dents, mais en revan-
che les coups répétés qu'il portait avec sa tête sur les
troncs d'arbres au paroxysme de ses crises commen-
çaient déjà à donner à sa matière grise une consis-
tance de mollard. On trouvera là un autre saisissant
exemple de l'équilibre parfait auquel la nature tend,
tout bienfait étant aussi porteur de préjudice.

Quand le gîte souleva une série de questions

géométriques difficiles à résoudre, Cléophas Drulle ne s'en fit pas pour si peu: de solives en lambourdes, en passant par les boutisses et les liaisons anglaises, il réunit ses maigres connaissances pour échafauder une structure digne d'un Gaudì. Le résultat lui plut assez. On eût dit un polyèdre extravagant muni d'une sorte de goulot égueulé qui servait d'huis en dessinant des méandres apparemment inutiles mais — pour qui y regarderait de près — en parfait accord avec les surfaces tantôt convexes, tantôt concaves du Professeur.

Drulle s'appliqua ensuite à décorer son intérieur au moyen d'un diplôme miraculeusement sauvé de la destruction générale (il le gardait toujours sur lui) et des pages centrales d'une revue populaire arrivée jusque-là par le même chemin. Ces œuvres de maîtres suspendues aux parois inégales de son antre eurent l'avantage de bercer les rêves du Professeur et d'assurer, à long terme, son bon fonctionnement.

Quand il eut ménagé sa survie, l'éminent Professeur Cléophas Drulle — qui ne répondait par excès qu'à de rares exigences de la nature — résolut de ne rien faire de plus. Il se plongea avec passion dans une totale oisiveté, inertie absolue à laquelle lui donnaient droit près de deux décennies de recherches malaisées sur *La coïncidence des points sur les « y » dans les « Relations » des Jésuites,* sujet d'étude emporté encore à l'état de notes par la furie apocalyptique de la Grande Explosion.

Comme tout Professeur digne de ce titre sent le pressant besoin d'équilibrer le poids des vacances avec celui du labeur, Cléophas Drulle s'accorda un repos sabbatique de quinze ans. Quinze ans pendant lesquels la mollesse et l'abandon se le disputèrent et pendant lesquels il explora avec une minutie monacale dans le reflet d'une coquille polie comme un miroir les fascinants replis de son ombilic: ce réseau au graphisme pur, à la perfection inégalée, sis dans une dépression harmonieuse et subtile, ces creux filiformes teintés d'une ombre rosée que les pourtours aux délicats renflements pâlissaient — oh, à peine! —, ce chef-d'œuvre étoilé, cette galaxie à l'échelle humaine, ce joyau dont l'éclat le baignait sans trève, éveillait en lui une gamme étendue d'émotions allant de la stupéfaction à l'orgueil, sans négliger cette jouissance particulière que procure la vue, par le principal intéressé, d'un travail bien fait.

Mais — Dieu lui pardonne — l'éminent Professeur Cléophas Drulle ne supporta pas plus de quinze ans l'ankylose à laquelle le condamnait, ainsi plié en angle aigu et tête baissée, son amour de l'art et il jugea que l'heure était venue pour lui de modifier sensiblement son emploi du temps. Les années qui suivirent le trouvèrent donc à réfléchir copieusement et en position couchée non pas sur la pertinence de son salut, car il n'en doutait point, mais sur la forme qu'allait prendre sa participation au développement d'une humanité supérieure sur cette terre désertée où il se croyait seul. Habitué au concret empoussiéré des manuscrits anciens, sermonnaires, cryptes et édifices conventuels divers, Drulle, entraîné par l'abstrait de ses cogitations, chutait dans l'ennui et il allait sombrer dans un sommeil végétal quand lui apparut une charmante enfant splendidement déguenillée, avec un je ne sais quoi de vulgaire plutôt plaisant, qui passait par là en croyant aller ailleurs.

— Hé! Moricaude! lança-t-il. Viens un peu là!

Erreur. Pour cette belle enfant crue parmi les bêtes et à l'abri, la vue d'un homme — même érudit — était une nouveauté saisissante et quelque peu grotesque. Elle recula. L'effroi qui la crispait ne rendit que plus attirants pour Drulle ses dix-sept ans fermes et bien tassés et il fut saisi d'une envie difficilement répressible d'en percer les mystères. Mais l'éminent Professeur Cléophas Drulle, en homme prudent, ne voulut pas effaroucher davantage la divine compagne que le Ciel, dans sa bonté, lui dépêchait. Il choisit donc parmi les nombreuses avenues et tactiques possibles celle qu'aurait recommandée en semblable circonstance madame de Sévigné. Se saisissant d'une tige aphylle fine comme un grelin d'amarrage au bout de laquelle, éclose, resplendissait une fleur superbe quoique délicate, il la lui tendit avec force courbettes. Les manuels d'étiquette ne mentent pas. La visiteuse inattendue était d'abord une femme et les femmes, dit-on, ont la mousseline faible si on la leur réclame avec des bonnes manières. La dulcinée fondit devant l'offrande, laissant du même coup tomber ses ravissantes hardes et dévoilant son innocence au Professeur. Drulle initia sur-le-champ sa protégée aux techniques de base d'un crawl rapide et vigoureux, car il n'ignorait pas que qui donne vite, donne deux fois. Sa leçon lui arracha bientôt des cris confus de *Ad augusta per angusta!*[1], devise de jeunesse qu'il avait, avant la Grande Explosion, l'habitude d'inscrire sur les murailles des séminaires en alternance avec *Drulle was here.*

Mais que dire de l'objet de sa soudaine exaltation? Rubiconde et tremblante, elle pantelait. Précisons qu'elle n'avait jamais auparavant joui de la

---

1. A des résultats magnifiques par des voies étroites.

compagnie des hommes et qu'impuissante à qualifier la prouesse de Drulle elle demeurait coite devant son instantanéité. Drulle vit dans cette attitude une muette admiration, jugea qu'il avait remporté la palme à l'épreuve probatoire, et réitéra. Sa fièvre excessive lui ôtant tout contrôle, il battait le sol des pieds et le creusait des mains tant et si bien qu'il exhuma sans le vouloir un objet dont il avait depuis longtemps oublié l'existence et dont la vue le surprit tant qu'il en perdit son latin: les pages cornées, tachées d'humus et de moisi d'un *Petit Robert* tendaient vers Drulle leur richesse, mais ce n'était pas tant cet or qu'elles recelaient qui le paralysa comme de comprendre subitement ce que la Providence attendait de lui.

Les maillons de la chaîne apparaissaient au Professeur dans toute leur netteté: la belle enfant sauvage et forcément muette à qui il se devait d'apprendre tout; la descendance qu'allait lui procurer le voisinage d'une autre peau; et ce dictionnaire, ce précieux dictionnaire, instrument de sa réussite. Il devinait maintenant sans peine pourquoi la Grande Explosion l'avait épargné lui, plutôt que Maurice Grevisse.

Repoussant pour l'heure ses préoccupations ludiques, l'éminent Professeur Cléophas Drulle planifia en moins de deux son avenir et celui de toute la langue française.

D'abord, baptiser la sauvageonne. Pour aller au plus court, il la nomma Vendredi, principalement parce que ce nom s'accordait bien avec leur situation et aussi parce que lui-même manquait totalement d'imagination. Puis, l'atteler aux travaux du ménage en n'oubliant surtout pas de lui faire, à temps perdu, une bonne douzaine de morveux braillards et enfin, dans la sérénité que procure la vie familiale jointe à la grandeur d'une vocation, procéder à la simplification systématique de la langue française dont la complexité lui avait tant nui dans ses études, avant de la léguer, propre et dépouillée, à sa compagne et à sa progéniture.

Paperassier dans l'âme, il se mit à l'œuvre avec méthode et ordonna qu'on ne le dérangeât point sinon pour l'accomplissement de ce qu'il appelait déjà avec le plus grand sérieux, une fois éteinte l'euphorie des premières minutes, ses devoirs conjugaux.

En tout premier lieu, il raya du dictionnaire tous les mots qui lui faisaient horreur ou lui étaient inconnus, ablation qui eut pour effet de réduire l'épaisseur du volume de trois bons quarts. C'est ainsi qu'il annihila des termes pourtant courants dans certains cercles, tels que « gélivure », « pâtis », « conchylien », ou plus simplement « linteau », qu'on pouvait si bien nommer « haut de porte » et, bien sûr, ce dérapant « étymologie » qui l'avait naguère entraîné dans des discussions acerbes où il n'avait jamais eu gain de cause. De même, il remplaça la locution « de convention » par « conventionnellement » dont la terminaison lui plaisait davantage parce qu'il était grand amateur d'adverbes. Ensuite, il amputa chacun des vocables restants de toutes leurs significations moins une, la seule qui lui fût familière. Cette seconde opération enlumina le docte ouvrage mutilé, à force de ratures et d'apostilles disant toutes: « Pas français ». De temps à autre, l'ombre d'un doute planait sur Cléophas Drulle et il marmonnait alors à part soi: « Mais peut-être ai-je tort... Après tout, le *Robert* le dit... Oh, et puis, non! je n'ai jamais entendu ça. » Et il biffait de plus belle avec une vigueur décuplée. Parfois, ses ratures lui étaient dictées par une pudeur assez étonnante. Par exemple, il prononça rageusement l'arrêt de mort de l'expression « esprit pénétrant » la jugeant trop obscène. En outre, il simplifia l'orthographe des mots ou la compliqua pour des raisons connues de lui seul. Citons comme modèle du genre l'adverbe « hardiment » en regard duquel il inscrivit d'abord « hardiement », puis « hardîment », semblant hésiter entre les deux.

Non content d'avoir lavé le vocabulaire de toutes ses scories, il crut opportun de transformer radicalement la grammaire. Nous ne nous étendrons pas sur le sujet, nous limitant à relever une règle parmi d'autres, réduite à un état larvaire après que l'eut charcutée le bistouri de Drulle:

« Tous les participes passés, quels qu'ils soient,
se mettent à l'infinitif. »

Cette tâche historique à la précision horlogère lui avait coûté quelques années pendant lesquelles sa smala toujours plus nombreuse avait évolué autour de lui à une distance plus ou moins respectueuse en prenant soin de se mettre les doigts dans le nez. Drulle ne s'en formalisa pas. Accordant sa préférence à l'instruction immédiate plutôt qu'à l'hygiène, il entreprit de bourrer le crâne de sa femme et de ses enfants le plus rapidement possible. Dans l'espace de trois mois, toute sa famille connaissait par cœur les cinq cents mots du vocabulaire français et leur unique acception, de même que la vingtaine de règles inévitables que contenait la *Nouvelle grammaire française du Professeur Cléophas Drulle.*

Ensuite, il détruisit toutes les pièces à conviction pouvant lui inspirer certains remords et maria entre eux ses fils et filles pour régler au plus tôt la question de la natalité. Enfin, serein, satisfait, orgueilleux et fier de ce peuple — son œuvre — qui prenait forme, il se laissa vieillir tranquille en regardant, béat, croître et se tourner les pouces une race nouvelle, linéaire, invariable, obtuse et un peu crasseuse, dépourvue d'éléments dits accessoires tels que la curiosité, le goût de la connaissance, le jugement et, bien entendu, la poésie.

Montréal, septembre 1978

TABLE DES MATIÈRES

Première partie
LA CÉRÉMONIE

Achevé d'imprimer sur les presses
de l'Imprimerie Laflamme Ltée
en décembre 1979
Imprimé au Québec